HELA

I Laura, Osian, Tristan a Lois –
pedwar pwynt y cwmpawd ar y daith

HELA

ALED HUGHES

Diolch yn fwy na neb i Marged am ei gwaith,
ei harweiniad a'i hanogaeth. Diolch hefyd i Lefi a'r Lolfa
am yr hyder maen nhw wedi'i ddangos yn y gwaith
ac i Bethan Mai am y clawr perffaith.

Argraffiad cyntaf: 2021
© Hawlfraint Aled Hughes a'r Lolfa Cyf., 2021

Y Clawr: Bethan Mai

Rhif Llyfr Rhyngwladol: 978 1 80099 102 6

Dymuna'r cyhoeddwyr gydnabod cymorth ariannol
Cyngor Llyfrau Cymru

Cyhoeddwyd ac argraffwyd yng Nghymru
ar bapur o goedwigoedd cynaliadwy gan
Y Lolfa Cyf., Talybont, Ceredigion SY24 5HE
e-bost ylolfa@ylolfa.com
gwefan www.ylolfa.com
ffôn 01970 832 304
ffacs 01970 832 782

I

Difaru

P'nawn Gwener. Doedd Callum ddim isho gwneud y jobsys rownd tŷ. Llnau'i lofft foel, golchi llestri noson cynt na mynd â'r rybish allan. Felly dyma ddeud yn blaen wrth ei fam.

'"Cadwa'r lle ma'n daclus i fi" ydi'r *unig* beth dwi'n glwad – yr unig beth sgin ti i drio nelu ato fo mewn bywyd ydi cadw tŷ ffwcin stad yn lân. Ti siriysli ddim isho mwy o fywyd? Twll dy din di!' Aeth hi i ben caitsh.

'Pwy ddysgodd i chdi siarad fel 'na'r basdyn bach?' Heb owns o eironi yn ei llais. Doedd neb wedi'i 'ddysgu', dim ond dyna ddaeth allan o'i geg wrth i Callum ddeud yn uchel ei fod, yn syml iawn, wedi cael llond bol o bethau ac o Borth Milgi. Llond bol o'r rhagrithwyr cul, dosbarth canol. Llond bol o fod yn byw yn nhwll din byd. Yr unig gysur oedd mynd i hela neu fynd i 'sgota. Gêm o ddarts yn Leion oedd ei ddathliad pen-blwydd yn un deg saith oed, tra roedd sawl un arall yn cael car newydd. Ta waeth, o leia doedd y pysgod na'r hogia wrth y bar ddim yn smalio bod yn ddim ond be oeddan nhw.

Peltan oedd y peth nesa deimlodd o, a'i frawd Carl yn chwerthin o ben grisiau. Dagra mam ddaeth wedyn. Doedd Doreen nymbyr ffaif mond 'di trio'i gora efo nhw. Dal dwy job, newid trywydd ei bywyd a magu'r ddau fab i allu sefyll ar eu traed eu hunain i wynebu be bynnag fyddai bywyd yn ei daflu atyn nhw. Doedd rhegi arni hi ddim yn rhan o hynny.

Difaru nath Callum. Ond mi oedd o wedi trio dal pen rheswm o'r blaen. Damia bod o wedi brifo'i fam. Mi aeth allan am y drws cefn gan wneud siŵr bod y Golden Virginia a'r Rizzla yn ei drowsus a leitar yn bocad ei gôt. Ers pan oedd o'n ffortîn, mi oedd o'n gwneud y rôl-ior-ôns gora welsoch chi rioed. Pwy oedd yn pasio fel ddoth o allan i'r stryd, ond y basdad mwya ohonyn nhw. John Parry. Y Parchedig. Wedi dod i lawr o'i gastell yn y Mans i weld y plwyfolion oddi tano. Dyn oedd yn berwi gwaed Callum er erioed. Mi stopiodd yn ei unfan a sbio i fyny'r llwybr at Callum. Tu ôl iddo fo, mi oedd Callum yn clwad traed ei fam yn colbio'r concrit, yn rhedag amdano fo. Mi gyrhaeddodd ei dagra hi gynta.

'Ti 'di brifo dy fam, pam nad ydw i wedi synnu!' meddai Parry fatha taran. 'Wyt ti'n iawn, Doreen bach?' meddai fo wedyn. Crinc. Mi drodd hi ar ei sawdl am tŷ ac mi drodd tafod Callum yn glyma yn ei geg o. Bod ddistaw fyddai ora. Ond doedd y cwlwm ddim cweit digon tynn.

'Pobol fatha *chi* yn i lordio hi o gwmpas lle 'ma ydi'r peth gwaetha am Porth Milgi,' meddai wrth basio Parry.

Roddodd o ddim cyfla i John Parry atab, mond cario mlaen i gerddad am dŷ Moi Saim. Owtcast i'r rhan fwya yn y pentra oedd Moi ond mi oedd Callum fel llaw mewn maneg yn ei gwmni.

2

Moi

'I BE UDIST di beth felly?' Wrthi'n llnau ei dwelf bôr yn ei gwt yn yr ardd gefn oedd Moi. Roedd o'n byw yn nymbyr ffifftîn Stad Cae Gwyn ar ei ben ei hun ers i fam o farw bum mlynadd yn ôl.

'Dwn im, paid ti â dechra plis.' Mi oedd bob cam gymerodd Callum i dŷ Moi wedi bod yn llawn euogrwydd. 'A'r peth gwaetha ydi, mi ddoth Parry Pregethwr o rwla fel o'n i'n gadael y tŷ – y fo o bawb – i ddechra pregath do'n i ddim am i chlwad.'

Tawelwch. Un da oedd Moi am wybod pryd i siarad a phryd i wrando. Erbyn hyn mi oedd o'n stwffio brwsh i lawr un o'r bareli, cyn codi'r siambr at y to a defnyddio'i lygad ora i weld oedd ei waith sgwrio wedi gweithio. Chwe deg oed oedd Moi Saim ond mi oedd wyneb y cyn-longwr, hynny oedd i'w weld y tu ôl i'r ewyn gwyn o locsyn oedd fel petai'n dal llwch y canrifoedd, yn awgrymu blynyddoedd yn ychwanegol. Nosweithiau di-gwsg a phorthladdoedd yn angori atgofion oes oedd y rheswm am hynny. Tu ôl i'r cyfan, roedd 'na ddireidi annwyl tu hwnt.

'Dos am dro, cliria dy ben cyn mynd yn ôl am adra. Ond tra ti yma, mi na'i banad a mi gei di neud smôc i ni.' Am y gegin aeth Moi wrth i Callum dynnu smôc denau iddo fo'i hun a rowlio un dew grwn i'w ffrind. Mi oedd o'n dweud ffrind, ond mi oedd o y peth agosa oedd o wedi ei gael i dad erioed.

Afal drwg da oedd o. 'Moi Saim – potshiwr gora Porth Milgi.' Unwaith gafodd o'i ddal erioed, ddegawdau yn ôl bellach, pan oedd Moi yn hogyn ifanc. Parry Pregethwr oedd y bai. Cachu am ei ben o o'r pulpud. Rhywun wedi dweud wrth Parry fod Moi wedi'i weld yn dod dros wal plas efo ffesantod ar ei gefn. Parry yn iwsho Moi Saim mewn pregath wedyn i ddangos bod yna rai 'yn gadael y llwybr'.

'Un dda,' meddai Moi Saim wrth dynnu ar y rôl ar ôl dychwelyd efo'r te. Roedd cymyla trwchus o fwg yn codi uwch ei ben o. Doedd Callum ddim yn cael yr un blas ar ei smôc o. Mi oedd y meddwl yn gweithio gormod i fwynhau'r rôl.

'Pam bod pobol capal yn meddwl bod nhw'n well na pawb arall, Moi?'

'Dwnim. Dydyn nhw ddim gwaeth na dim gwell na chdi a fi, sdi. Fydda i'n trio peidio barnu neb. Dwi 'di gweld a 'di siarad efo pob math o bobol yn yr hen fyd yma, a dwi 'di ffendio na cadw fy hun at fy hun ydi'r peth gora fedra'i neud. Munud wyt ti'n cael dy dynnu i mewn i fyd rhywun arall, mae'i wedi shit arna chdi yn amal iawn.' Mi dynnodd ar y Golden Virginia.

'Cofia di, Callum bach, mi dduda'i rwbath wrtha chdi, ma pobol capal yn ffyrnig am edrach ar ôl i pobol i hunan. Meiddia di fynd ar i traws nhw, a mi nei di ddifaru tra byddi di. Rwbath i amddiffyn i ffordd nhw bob tro.'

Mi anghofiodd Callum am y smôc gan sylweddoli fod o'n mwynhau y banad yn ei law yn llawer gwell. Braf oedd cael ista yn y cwt, o flaen simna llosgi logs Moi. Debyg iawn mai fo oedd yr un ola efo tân agored yn y cwt cefn ar stad Cae Gwyn. Sentral hîting, twt glân a di-huddug oedd gan weddill y tai a'r cytiau ers blynyddoedd bellach. Dim angen am hen gytiau glo tywyll a llanast yn y cefnau felly. Ond mi oedd yna gysur diawledig i'w gael mewn tân glo. I rywun oedd newydd gael ei ben-blwydd yn un deg saith oed, doedd Callum ddim yn dallt o gwbwl pam fod pobol wedi cau'r tyllau i fyny a gadael ryw hen fent plastig hyll yn eu lle nhw. Wrth i fflamau cochach na choch lowcio broc môr sych grimp y gaea dwytha yn nhân cwt 'rardd nymbyr ffifftîn, mi oedd llgada Callum yn cael eu sugno ymhellach i grombil y gwres.

'Be sy'n dân ar dy groen di?' gofynnodd Moi.

'Dim byd' oedd yr ateb swta. Mi neidiodd Callum o'r gadair freichia a oedd bob amser yn gysur cyn anelu am y drws. 'Dwi'n mynd.'

'Ti'n dod efo fi i hela nos Lun?' holodd Moi.

'Nos Lun?'

'Wel ia, gaddo noson glir a dim cawodydd.'

'Iawn.' Mi anelodd Callum am y drws, cyn troi a gofyn, 'Moi, pwy ydi Dafydd Wigley?'

'Politishan, pam?'

'O.' A dyna fuodd. Mi gamodd Callum o grud cysur cwt Moi Saim i noson oer, wyntog o hydref gan gau y drws yn glep ar ei ôl.

3

Ffrindiau

LLWYBR CUL, WEDI'I naddu gan ddegawdau o draed plant oedd yn mynd â rhywun i lawr o Stad Cae Gwyn i draeth Porth Milgi. Roedd hwnnw'n arwain wedyn at y ffordd fawr rhwng y dre a gweddill twrist hotspots yr ardal. Mi oedd Callum yn gweithio yn caffi traeth pan oedd fisitors, a 'tae o wedi cael punt am bob tro yr oedd rhywun wedi ei stopio wrth iddo fo groesi'r ffordd fawr yn gofyn am y ffordd i lan y môr, 'Excuse me young man, is this the way to Port-mile-gay cove?' oedd y cwestiwn bron yn ddi-ffael. Y rhan fwya o'r amser, a hwnnw'n teimlo'n glên, mi fyddai Callum yn dweud wrthyn nhw eu bod nhw ar y lôn iawn a bod angen iddyn nhw droi i'r dde nesa i gyrraedd y traeth. Dro arall, os oedd o'n teimlo'n ddireidus, eu hanfon nhw'r ffordd arall, ffordd y mynydd, gan wybod y byddai'r Chelsea tractors yn cael diawl o job troi rownd ar y ffordd gul i lawr i'r hen chwarel.

Ar y nos Sul yma, wrth groesi'r ffordd fawr a dilyn y llwybr answyddogol, mi oedd y lleuad yn dortsh ddi-fai. Nid fod Callum angen unrhyw help o gwbwl, mi oedd y llwybr mor gyfarwydd â chefn ei law iddo. Yr her fwya heno oedd bod yn ofalus o'r dail a'r brigau oedd wedi dod i lawr yn storm y noson gynt. Mi oedd ei ben yn nofio efo bob math o bethau. Be oedd ei fam yn feddwl? Pam fod o wedi dweud twll dy din di wrth rywun oedd yn gwneud ei gora a dim mwy? Ai peth fel hyn oedd tyfu o fod yn hogyn i fod yn ddyn? Un peth oedd yn bendant, mi oedd o wedi cael llond bol o Borth Milgi. Dyna ni. Heddiw. Rŵan. Dim mwy o Callum yn cowtowio. Er ei fod o wedi brifo'i fam, dechrau'r diwedd oedd hyn. Fyddai Callum ddim yn gadael i'r syniad yna nad oedd pobol Stad Cae Gwyn yn ddigon da ei dynnu i lawr o hyn ymlaen. Wrth nesáu at y traeth, mi oedd o'n teimlo bod rhyw faich wedi ei godi. Os oedd yna achos am rôl-ior-ôn erioed, hwn oedd o. Er ei fod o wedi gorfod rhegi ar ei fam i gael y teimlad, dyma oedd dechrau'i daith i fod yn ddyn ifanc, annibynnol. Wrth straffaglu i chwilio am y baco yn ei bocad a cherddad yr un pryd, mi glywodd Callum lais y tu ôl iddo fo.

'Iawn, cwd?' meddai Babo. Un o'i ffrindiau gora fo oedd Babo, ers pan oedd y ddau yn ddwy. Am y tro cynta erioed, mi oeddan nhw wedi cael eu gwahanu ers gwylia'r haf. Callum oedd yr unig un o'r criw oedd wedi mynd yn ôl i flwyddyn 12, er mwyn plesio'i fam. Ond doedd hynny ddim yn golygu fod Babo yn thic. A dweud y gwir, mi oedd o'r boi mwya galluog yr oedd Callum yn ei adnabod. Doedd gan Babo ddim mo'r help fod yr holl arholiadau ers pan oeddan nhw'n gallu pigo'u trwyna yn gofyn y cwestiyna anghywir. Wicipidia ar draed oedd o. Mi oedd o'n gwybod bob dim am, wel, bob dim. Mi oedd o wedi'i wahardd o'r Leion ers pan oedd o'n bymtheg oed. Bryd hynny, mi oedd y gwahanol dimau cwis yn talu £5 iddo fo ista ar eu bwrdd nhw bob nos Fawrth. Lle bynnag oedd o'n ista, yn saff i chi y tîm yna fyddai'n ennill. Felly dyma Dic Leion yn banio Babo tan oedd o'n ddeunaw. Gweithio yn ffatri baent dre oedd Babo erbyn hyn.

'Lle ma'r ddau arall?' holodd Callum wrth gario 'mlaen i gerddad, rhoi'r rôl oedd o newydd ei gwneud i Babo a dechra creu campwaith newydd iddo fo'i hun.

'Lawr yna'n barod, wrth y cytia nes i ddeud ar Messenger. Chawn ni ddim mynd fawr pellach eniwe, ma storm nithiwr wedi chwalu clogwyni pen pella traeth eto. Cownsil 'di rhoi tâp ar draws glan môr.'

Mi oedd Chris Jac-Do a Saim Bach yn ista wrth ddrws un o'r cytiau lan y môr pan gyrhaeddodd y ddau arall. Erbyn hyn mi oedd hi'n dywyll, ond petai'n olau dydd, mi fyddai modd gweld yr hanner cant o gytiau newid amryliw oedd yn denu Saeson fel pryfaid o amgylch cachu yn yr haf. Cytiau Fictorianaidd oedd yn costio £20 i'w llogi am y dydd i'r rheini oedd â chywilydd newid efo tywal o'u hamgylch yng ngŵydd pawb arall.

'Lle ddiawl dach chi 'di bod?' meddai Jac-Do. Llinyn trôns chwe troedfadd a choesau fatha sbageti 'di ferwi oedd Jac-Do. Fo oedd yr un cegog o'r criw, fo oedd yr un fyddai'n mynd i ganol criw o ferchaid ac agor y drws i bawb arall gael ymuno rownd yr un bwrdd. Un da oedd Jac-Do.

Un o'r creaduriaid anwyla'n fyw oedd Saim Bach, neu Alwyn i'w fam. Doedd dim ots ganddo am affliw o ddim byd, roedd o'n fwy pwyllog na chrwban. Byw efo'i rieni, Lizi ac Elwyn Nant, oedd Saim Bach. Ond mi oedd hi'n gyfrinach agored ym Mhorth Milgi na Moi Saim oedd ei dad iawn o. Y 'prawf' cynta oedd fod ganddo yr un wyneb yn union â'i dad. Yr un trwyn smwt, yr un clustia main a'r un talcen uchel diffuant. Yr ail ddarn o 'dystiolaeth' oedd fod ei 'dad', Elwyn, wedi cerdded i mewn i Leion y noson y cafodd Alwyn ei eni i fonllefau o 'da iawn, llongyfarchiadau, reit dda' a chodi gwydrau cyn i Elwyn gyhoeddi, 'Arglwy mawr, nelo fo ddim â fi siŵr dduw!' Na, pan fyddai Moi Saim yn dod adra o'r môr radag hynny, fedrai Lizi ddim peidio gwrando ar helyntion y morwr mawr a chael ei swyno ganddo.

'Sgin ti faco?' meddai Jac-Do, cyn atab y cwestiwn ei hun a mynd i bocad côt Callum i nôl y deiliach brown. Er bod smocio ymhell o fod yn ffasiynol, mi oedd y grefft o rowlio gafodd ei dysgu i Callum gan Moi Saim yn rhywbeth oedd y pedwar yn ei wneud yng nghwmni ei gilydd am y rheswm syml nad oedd fawr ddim arall i'w wneud yn eu cornel nhw o'r byd. Ymhen hir a hwyr, mi oedd gan bob un o'r pedwarawd smôc, wrth iddyn nhw edrych ar y lleuad yn creu llwybr ar y môr o'u blaenau. Distawrwydd. Go brin fod pedwar o bobol yn nabod ei gilydd yn well, nac yn fwy cyfforddus yng nghwmni ei gilydd na'r pedwar oedd yn smocio ar draeth Porth Milgi ar y nos Sul yma ym mis Hydref. Hogia o'r un brethyn, hogia oedd â Phorth Milgi ym mhob anadl – y math o hogia y byddai blaenoriaid Capel y Gad wedi eu dallu i'w corlan yn y blynyddoedd a fu. Ond mi oedd yr oes wedi newid.

'Welsoch chi *The Voice* nithiwr, efo'r boi na odd yn edrych fatha Arfon Wyn ond bod hwn mewn siwt smart a ddim mewn tracsiwt?' oedd cwestiwn cynta Babo.

'Naddo,' meddai'r triawd gan ladd y sgwrs yn ei hunfan. Callum oedd yr unig un arall oedd yn gwybod pwy oedd Arfon Wyn, ar ôl iddo fo ddod i'r ysgol gynradd i ganu am Dduw a ryw bysgod ffast ryw dro.

'Es i am beint efo dad i Leion nithiwr' meddai Jac-Do.

'No wê! Gest di dy syrfio gin Dic?' holodd Callum.

'Do tad.'

'Fydda'i yna yn hollol lîgal mewn chwech wythnos,' ychwanegodd Saim Bach. 'Ma mam 'di deud ga'i barti êtînth fi yna – no wê fedar Iolo plisman stopio ni wedyn.'

Distawrwydd eto am sbel. 'Dwi'n mynd am gachiad,' dorrodd ar yr heddwch.

'Tisho fi ddod i sychu dy din di eto, fatha nes i yn yr ha?' holodd Jac-Do wrth Saim Bach.

'Cau dy geg!' atebodd hwnnw, cyn anelu am du ôl y cytia.

Wrth i bawb chwerthin yn uchel, mi oeddan nhw'n cofio am yr helynt fu ym mis Mehefin. Mi oedd Callum wrthi'n cael brêc am smôc yn y caffi, ac mi aeth at y lleill, oedd ar y traeth yn barod yn pasio diwrnod. Mi aeth Jac-Do a Saim Bach am gachiad i le coediog, llawn dail wrth ymyl y traeth ar lethr Mynydd Graig Ddu. Jac-Do orffennodd gynta a sychu'i din efo dail tafol, oer, neis. Mi ofynnodd Saim Bach iddo fo basio rhai iddo fo gael llnau ei gampwaith. Ond mi afaelodd Jac-Do yng ngwaelod coesyn o ddail poethion a'u rhoi yn nwylo Saim Bach. Heb feddwl, mi sgrepiodd hwnnw rhwng bocha'i din yn o sownd cyn rhoi sgrech i ysgwyd yr adar o'r coed. Mi fu Lizi wrthi am ddeuddydd yn rhwbio camomeil loshiyn ym mochau cefn cannwyll ei llygaid.

'Hei,' meddai Saim Bach wrth ddychwelyd, i dorri ar y synfyfyrio, 'o'n i'n meddwl fod pen draw traeth wedi cau ar ôl storm neithiwr?' Mi gododd y tri oedd yn ista i edrych tuag at ben pella'r traeth. Mi welon nhw olau tortsh yn dawnsio i fyny ac i lawr y clogwyn, cyn diflannu rownd y trwyn a gadael y lle mewn tywyllwch unwaith eto.

'Dyfrig Bonc bia'r tir, de? Ella fod o'n chwilio cofn bod yna ddefaid ar y traeth,' meddai Babo. Rhyw fymblian i gytuno nath y gweddill, cyn i Callum ddweud, 'Pwy ydi Dafydd Wigley?'

'Boi Cymdeithas yr Iaith,' atebodd Babo, 'pam?'

'Dim, mae o'n dod i'r ysgol fory i siarad am rwbath, a 'dan ni fod i ofyn cwestiwn iddo fo. Rywun efo syniad?'

'Oes,' meddai Jac-Do, a mi arhosodd y byd yn stond am eiliad i wrando, 'gofyn pam fod o wedi stopio gneud y *chewing gum* hen ffaswin yna efo papur o'i gwmpas o.' Mi lenwodd chwerthin y tri arall y traeth, gan atseisnio rhwng y cytiau a thrwyn Mynydd Craig Ddu ac yn ôl. Doedd Callum ddim am gael ysbrydoliaeth yn fan hyn.

'Reit, dwi'n i throi hi.'

'Cadwa'r baco yma, i ni,' meddai Jac-Do. A dyna nath Callum, cyn dilyn y tywod yn ôl am lôn traeth a'r ffordd adra.

Ar y llwybr tu ôl i Stad Cae Gwyn, mi ddath Callum wyneb yn wyneb â Mrs Williams Hen Felin. Deryn y nos oedd yn amlach na pheidio yn siarad efo hi ei hun, yn fwy cyffyrddus o lawer yn anwybyddu'r byd o'i chwmpas.

'Helô Mrs Wilias' meddai Callum wrth nesáu.

'Helô 'ngwashi, mae'n well noson heno.'

'Yndi,' meddai Callum, yn y gobaith o osgoi mwy o sgwrs. Doedd o ddim yn siŵr iawn o'r hanes, ond mi oedd o'n gwybod ei bod hi wedi colli ei merch ryw dro a bod well ganddi grwydro ei hun pan nad oedd yna fawr neb arall o gwmpas.

'Yn y traeth fuest di, ma siŵr?' Erbyn hyn mi oedd Callum wedi ei phasio ar y llwybr a'i llais yn dod o du ôl i'w ysgwydd chwith. Trodd yn ei ôl i'w hateb heb stopio cerdded.

'Ia.'

'Ddaw yna ddim da o fanno byth,' oedd y geiriau olaf glywodd o wrth gario mlaen i gerdded. Doedd o rioed yn ei fywyd wedi clywed brawddeg oedd yn swnio mor drist yn cael ei dweud mor bendant gan neb o'r blaen.

4

Plismyn

DYDD LLUN. BRECHDAN gachu fwya'r wythnos. Tywod cysgu yng nghonglau'i lygaid a thywod traeth Porth Milgi yn ei sanau oedd gan Callum wrth iddo fo drio reslo o'i drwmgwsg i'r byd go iawn. Doedd o ddim 'di gweld ei fam yn iawn ers y ffrae. Rhwng gweithio ei dwy joban, mi oedd y penwythnos yn diflannu heb fawr o gyfle i deulu nymbyr ffaif weld ei gilydd yn iawn. Yn y gegin yn llnau ac yn cael panad a smôc oedd Doreen. Fyddai dim modd osgoi sgwrs bore yma. Drws nesa, y tu hwnt i'r wal trwch papur rizzla, roedd ei frawd Carl wedi bod yn pincio ers sbel. Mi fyddai hwnnw yn dod lawr grisiau yn y man efo bob blewyn yn ei le. Wedi smwddio'i drowsus ei hun y noson gynt a digon o jel yn ei wallt i wrthsefyll corwynt. Doedd Callum ddim yn cofio lle'r oedd o wedi rhoi ei iwnifform ar ôl dod adra bnawn Gwenar. Mi roddodd ei bawan allan wrth ochr ei wely i ymbalfalu am ei faco ar y bwrdd bach. Damia. Mi gofiodd ei fod o wedi gadael y baco ar y traeth i'r lleill gael smôc ar ôl iddo fo fynd.

Gafael yn ei ffôn wedyn. Sgrôl sydyn drwy instagram a TikTok. Doedd dim byd yn mynd â'i ddiddordeb yn y fan honno chwaith. Mi aeth i chwilio am YouTube. Roedd o isio cân i ysgwyd y brên ar gyfer yr wythnos. Eidial, mi gofiodd bod Moi Saim wedi canmol cân i'r cymyla yn ddiweddar.

Felly, dyma roi'r *headphones* i mewn a throi foliwm y ffôn i'r pen i wrando ar Thin Lizzy yn bloeddio 'Whiskey in the Jar'. Erbyn yr ail bennill, a'r lleidr pen ffordd ar fynyddoedd Kerry wedi dwyn pres y Capten Farrell, mi oedd Callum yn chwarae gitâr awyr ffwl-sbid ar ei gefn yn y gwely.

'CALLUUUUUUUUM!' Chyrhaeddodd o ddim y bennill ola, mi oedd Doreen nymbyr ffaif wedi rhwygo'r bylbiau bach o'i glustiau ac yn gweiddi ei enw mor uchel ag y gallai. Troi wnaeth hi wedyn a chau y drws ar ei fab. Ar waelod y gwely, mi welodd Callum ei ddillad ysgol wedi eu plygu'n berffaith a'i esgidiau yn sgleinio fel dau lwmp o lo newydd eu cloddio ar y llawr. Mi gafodd ei hudo i lawr o fynyddoedd Cork gan ei euogrwydd.

I lawr y grisiau, dim ond Callum a'i fam oedd ar ôl. Erbyn hynny, mi oedd Carl yn y bystop, deg munud yn gynnar fel arfer. Dal y bws o gwbwl oedd y gamp i Callum.

'Sori,' meddai fo, yn fwy na dim i dorri ar y distawrwydd oedd yn ei fygu a'i atal rhag llyncu'i dost a'i jam yn iawn. 'Dwi'n gwbod bo fi *way off the line* yn siarad fel yna. Nath o jyst dod allan yn rong. Na i ddim siarad fel yna efo chdi eto.' Cymrodd frathiad arall o'i dost, nes fod y distawrwydd yng ngweddill y tŷ yn gwneud sŵn y tôst yn cael ei falu yn ei geg hyd yn oed yn uwch. Mi oedd o'n eistedd o amgylch y bwrdd efo'i fam yn edrych ar ei draed a hithau'n edrych i'w the fel petai'n gweld gwirioneddau mawr y byd.

'Dim dy fai di ydi o,' meddai ymhen hir a hwyr, 'y lle yma ydi o, de? Mae o'n mygu rywun.' Mi gododd ar ei thraed, tynhau'r llinyn ar ei *dressing gown*, a rhoi sws i Callum ar ei dalcen cyn mynd am ddrws y gegin. 'Dwi'n mynd i bath, wela'i di heno.'

Doedd mud ddim ynddi. Sioc? Syfrdan? Dim pregeth. Dim edrychiad fyddai'n rhewi calon unrhyw ddyn. 'Mynd i bath,' oedd yr unig beth oedd Callum yn ei gofio o'r hyn ddywedodd ei fam. Ar ôl poeni a chael ei bigo droeon gan ei gydwybod, dyna sut y caewyd pen y mwdwl ar yr holl beth.

Wrth gerdded heibio'r holl dai yn Stad Cae Gwyn i gyrraedd y lôn i ddal y bws, mi oedd yna sŵn i'w glywed yn y cefndir. Erbyn iddo gyrraedd ceg y lôn, mi ddaeth yna gadarnhad buan iawn o be oedd o'n amau – ceir plismyn. Mi ruodd tri char heibio efo'r blŵs and tŵs yn rhuo trwy ganol Porth Milgi. Ar ôl rheini wedyn, injian dân a fan Gwylwyr y Glannau. Roedd pawb fel tasan nhw yn gwibio heibio o gyfeiriad y dre tuag at draeth Porth Milgi. Mi dynnodd ei ffôn o'i boced, gan ddechrau chwilio yn sydyn, ond doedd Twitter na Facebook ddim hyd yn oed wedi cael gwybod be oedd yn mynd ymlaen. Ynghyd â gweddill y defaid a oedd yn sefyll yn aros am y bws, mi edrychodd Callum yn gegagored wrth i'r cerbydau wibio heibio. Doedd o, na neb arall oedd yn sefyll yno, erioed wedi gweld cymaint ohonyn nhw efo'i gilydd. A dyna ddechrau'r stori fyddai'n newid Porth Milgi am byth.

5

Corff

Roedd hi'n casáu'r traeth. Yn enwedig mewn trowsus a chôt siwt. Ar ôl gweithio ar hyd ei hoes i adael y sir, y peth dwytha oedd hi am ei wneud oedd dychwelyd. Ond doedd ganddi ddim dewis. Dyna'r unig swydd wag ar y pryd oedd yn fodlon derbyn CV tocsig. Ditectif yn adran CID twll tin byd fyddai gweddill ei gyrfa a hithau ond yn bedwar deg a thair oed. Go brin y byddai'r ditectif Yvonne Ashurst wedi gallu breuddwydio y byddai'i hail wythnos yn ôl yn dechrau efo corff ar draeth ym mro ei mebyd.

O'i blaen, mi oedd yna dunelli o fwd, tywod, coed a gwreiddiau. Ar flaen y llanast newydd yma, rhyw dri deg troedfedd yn uwch na'r traeth, roedd yna dent wen wedi'i gosod. Roedd fforensigs, criw y cotiau gwyn a'r masgiau wedi bod wrthi ers rhyw awr. Mi straffagliodd Ashurst yn ei welingtons i fyny ochr y tirlithriad a dilyn y llwybr a oedd wedi ei osod gan y patholegydd a gweddill ei dîm. Doedd hi ddim am gael ei chyhuddo o ddifetha safle troseddol eto. Mi wthiodd ei ffordd i mewn i'r dent gan duchan.

'Reit, be sydd gynnon ni?' meddai hi wrth y Dr Peter Guard.

'Bore da, Yvonne. Merch ifanc. Hanner ei wyneb ar goll a thyllau mân amlwg yn rhai o'r esgyrn ac yn hynny o'r ffrog sydd ar ôl. Tyllau o beledi? Siŵr o fod. Felly heb gadarnhad, 'y marn i ydi ei bod hi wedi ei saethu gan shotgyn a hynny'n agos iawn wrth danio. Dydan ni ddim wedi clirio'r pridd o amgylch ei chorff yn iawn, a'r unig beth arall sydd gynnon ni ydi'r gadwyn a'r groes yna o amgylch ei gwddw hi.' Penliniodd y ditectif wrth ochr y sgerbwd. Mi edrychodd ar y gadwyn ac mi allai weld mai ffrog llewys byr flodeuog ar gyfer yr haf oedd y carpiau o'i hamgylch ar un adeg.

'Ers pryd ma hi yma?' oedd cwestiwn nesa Yvonne Ashurst.

'Pump, deg, pymtheg, ugain mlynedd? Allwn ni ddim bod yn siŵr ar hyn o bryd, ond dim mwy na hynny.'

'Unrhyw beth arall?'

'Heblaw am olion troed newydd ar waelod y tirlithriad, nac oes.'

'Pa mor newydd?'

'O fewn yr ugain awr diwetha.' Ar hynny, mi edrychodd Yvonne Ashurst o amgylch y dent unwaith eto.

'Ddo'i draw i'r lab cyn diwedd y dydd. Dwi angen cymaint o wybodaeth ag a fedri di roi i mi. Dwi angen bod yn siŵr.'

'Siŵr o be?' gofynnodd Peter Guard.

'Fy mod i'n edrych ar gorff Branwen Williams,' atebodd Ashurst yn bendant cyn camu allan o'r dent.

Doedd hi erioed wedi gweld y traeth o'r uchder yma o'r blaen. Yn blentyn, roedd Yvonne a channoedd o blant eraill Porth Milgi wedi chwarae ar y traeth ar hyd y blynyddoedd. Ar ben y mynydd newydd dros dro yma, mi allai weld reit i lawr yr arfordir. Mi allai weld mynydd Graig Ddu o ongl wahanol. Mi oedd y cytiau newid yn edrych yn wahanol o'r fan hyn hefyd. Trodd ei sylw at y tir o dan ei thraed. Roedd un o'r siwtiau wedi marcio'r olion troed newydd efo baneri bach melyn. Erbyn hyn, roedd o'n tynnu lluniau ac mi oedd modd gweld patrwm y cerddediad. Brasgamodd Ashurst tuag at yr olion. Pasiodd heb ddweud dim, ond o edrych yn sydyn, defnyddioedd ei phrofiad i ddyfalu mai traed dyn maint deg oeddan nhw.

'Ma'am' meddai llais. Iolo plisman oedd yno. 'Ma'r cyngor am gael gwybod pryd gân nhw ddod â'r JCB's i lawr a phryd gân nhw ailagor y traeth?'

'Deud wrthyn nhw na dyna'r peth dwytha ar 'y meddwl i ar hyn o bryd.' Cerddodd y ditectif heibio i'r plismon heb stopio, wrth i hwnnw ymdrechu i gael ei sylw.

'Be am dynnu'r tâp sy'n cadw pawb yn ôl i lawr, ta? Lot isho mynd i gerddad i cŵn a ballu erbyn rŵan.' Rŵan roedd hi'n amser i Yvonne stopio.

'Blydi hel, Iolo, ti ddim 'di newid dim ers 'rysgol. Dan ni wedi dod o hyd i gorff ar draeth sy'n fwy na thebyg wedi ei lofruddio. Geith pobol fynd â'u cŵn i gachu i rwla arall. Gna'n siŵr fod NEB yn mynd heibio, paid â tynnu'r rhaff yna i lawr – a deud wrth y cyngor am fynd i chwara.'

Cerddodd Yvonne Ashurst yn ei blaen a gadael Iolo yn yr unfan, cyn troi'n ôl.

'Ydi Kathleen Williams yn dal i fyw yn Hen Felin?' gofynnodd wrth PC 7219.

'Yndi, pam?' A dyna ddiwedd y sgwrs. I Hen Felin oedd Yvonne Ashurst yn mynd nesa. Roedd ei stumog yn glymau. 'Pam fi?' meddai dan ei gwynt, wrth edrych ymlaen at adael y tywod lle'r oedd o.

6

'Rysgol

GWERS CEMISTRI OEDD yr ail wers i Callum. Cemeg, Maths a Hanes oedd ei bynciau. Stwffia'r Fagloriaeth a'i lol. Ecsams go iawn oedd am fynd â fo yn bell o'r sir a Chymru. Os oedd o wedi ei fagu heb fawr ddim, doedd o ddim am i'w fam ei chael hi'n anodd am byth. Allai o ddim fod wedi gofyn am well esiampl mewn bywyd na'i fam ac mi oedd o am ei gwneud yn falch ohono, a thrwy'r ysgol oedd yr unig ffordd i wneud hynny. Mi oedd o'n gwybod y byddai'n anodd, os nad yn amhosib talu'r ffioedd i fynd i'r brifysgol, ond tra roedd addysg yn dal ar gael am ddim – manteisio oedd ei unig opsiwn. Hynny neu fynd i weithio i'r ffatri baent yn dre.

'Oedd araith Wigley yn wych,' meddai prif fachgen blwyddyn 12, Brython ap Rhydderch. 'Ysbrydoliaeth i bawb oedd yn gwrando. Be oedda chdi'n feddwl, Callum?'

'Oedd o'n hollol shit.' Doedd Callum erioed wedi bod mor bôrd yn gwrando ar neb yn ei ddydd, Arglwydd neu beidio. Doedd Callum ddim yn dallt politics. Doedd o ddim yn dallt pam bod y system yn bodoli o gwbl, system nad oedd â chanlyniad i neb heblaw am y rhai oedd yn cael eu hethol. Ers blynyddoedd, fel rhywun oedd wedi'i fagu i edrych ar bethau yn gwbl ymarferol a deall nad oedd neb yn gallu ei helpu heblaw amdano'i hun – roedd gwrando ar bobol fel ap Rhydderch yn sôn am ryw Gymru newydd yn gwylltio Callum.

'Pam hynny?' meddai Brython i ysgwyd Callum o'i synfyfyrio. Wnaeth Callum ddim ateb. Mi gafodd ei sylw ei hoelio at y drws wrth iddo agor a cherddodd triawd i mewn.

Y cyntaf o'r triawd oedd y mwstásh mawr coch ei hun, Cen Cem. Dyn ymhell dros ei hanner cant, sbectol ffrâm dywyll a gwydr fel ffenestri sybmarîn. Fel tae rhywun wedi rhoi ei wallt trwy fangl, roedd y lliw yn rhyw lwyd gwyn di-fflach wrth ei sgalp wedi i'r cochni i gyd gael ei wasgu i ben draw bob blewyn. Ond doedd hynny ddim yn ei stopio rhag rhoi potel yn ei fwstásh. Fel yr arwydd olaf o beidio â derbyn trefn pethau, mi oedd o'n rhoi lliw oren potel yn ei fwstásh *handlebar* oedd yn herio unrhyw gwningen i feddwl mai moron oedd yn tyfu dan ei drwyn. Doedd Cen ddim yn dal iawn, ac roedd wastad mewn sandals ymhob tymor a throwsus melfaréd, crys gwyn a thanc top efo'r patrymau gweu hyllaf yn hanes dynoliaeth. Dim rhyfedd fod yr hen Gen yn hen lanc. Ond, ers iddo gyrraedd yr ysgol, Cen oedd un o hoff athrawon Callum. Yn esboniwr da ac yn parhau'n frwdfrydig am ei bwnc – yn wahanol i'r rhan fwyaf o staff.

'Agorwch y llyfrau ar dudalen 28,' meddai Cen yn ei lais bach gwichlyd.

Y tu ôl iddo fo mi ddaeth Kelly Owen. Fyth ers iddo rannu'i fiscit Malted Milk efo Kelly yn y Cylch Meithrin, mi oedd hi a Callum wedi bod yn ffrindiau agos. Y ddau yn byw ar Stad Cae Gwyn, a'r ddau yn benderfynol i adael y stad, y pentra, y sir, Cymru – ac yn ymwybodol iawn mai trwy wrando yn yr ysgol oedd yr unig ffordd i wneud hynny. Ond mi oedd yna rhywbeth yn wahanol am Kelly. Ers dechrau'r tymor, mi oedd Callum wedi sylwi ei bod hi'n ymddwyn yn wahanol.

Am ryw reswm, mi oedd hi'n ymddangos fel bod pwysau'r byd ar ei sgwyddau. Hefyd, er ei fod o'n beth od i feddwl, mi oedd Callum yn meddwl ei bod hi wedi rhyw fath o heneiddio dros nos. Efallai mai Kelly yn newid fel yr oedd o'n newid oedd hyn, a dim arall. Mi oedd ganddi hefyd un o'r i-phones mwya diweddar, ac mi oedd Callum wedi ceisio dyfalu mwy nag unwaith sut oedd hi'n gallu fforddio'r ffôn. Ta waeth, mi oedd o'n ei hystyried yn un o'i ffrindiau gorau o hyd. Mi oedd ei llygaid glas golau yn pefrio wrth iddi gerdded i gefn y dosbarth, mi wenodd ac mi fethodd calon Callum guriad, cyn iddi dynnu sedd o dan y ddesg ac eistedd wrth ochr Brython ap Rhydderch. Mi oedd hwnnw fel ci defaid newydd gasglu chwe cae o ddefaid wrth ei hochr. Bron nad oedd Callum yn ei glywed yn pantio wrth i'w dafod hongian fel tamaid o ham gwlyb o ochr ei geg. Cysurodd Callum ei hun mai mynd i eistedd at yr *Head Boy* i gopïo gwaith wnaeth hi, a dim mwy.

Louise Ellis oedd yn cwblhau'r triawd. Dirprwy bennaeth, pennaeth y merched o flwyddyn 10 ymlaen, ffrind i bawb ac athrawes dda. A dyma'r ddynes a oedd wedi llenwi breuddwydion sawl disgybl yn yr ysgol ar ryw adeg neu'i gilydd. Mi oedd ei gwallt hir, brown yn well na'r un yn yr hysbysebion shampŵ. Llygaid du fel dau grombil di-bendraw a gwefusau llydan yn fframio gwên hudolus. Cerddai'r córidor efo hyder ac awdurdod meddwol. Gyrra'i BMW efo to fyddai'n cael ei dynnu i lawr yn yr haf. Dyma ddynes yr oedd pob hogyn yn ei haddoli, dynes yn ei phumdegau yn byw ar ei phen ei hun – gan adael y drws yn agored i bawb feddwl mai y nhw fyddai'n cysgu dan yr un to â hi rhyw ddydd.

'Cau dy geg,' meddai Brython wrth Callum, wrth iddo'i ddal yn synfyfyrio ar Louise Ellis yn nhu blaen y dosbarth. Mi welodd Callum Miss Ellis yn sibrwd rhywbeth yng nghlust

Cen, cyn i hwnnw edrych arni a dweud rhywbeth. Yng nghefn y dosbarth, doedd dim modd i Callum glywed beth oedd yn cael ei ddweud. Ond gallai weld o ymateb Cen ei fod wedi dychryn. Mi drodd Louise Ellis a gadael y dosbarth. Er na allai fod yn siŵr, mi oedd Callum yn teimlo nad oedd y mwstásh yn gorwedd mor esmwyth ag yr oedd ar wyneb Cen Cem erbyn hyn. Trodd i dudalen 28 ac at y pennawd 'Y Sbectrwm Heidrogen'.

7

Galar

Gwagiodd DI Yvonne Ashurst y chwarel dywod oedd ganddi yn ei welingtons yn y maes parcio uwchben traeth Porth Milgi. Mi oedd hi'n hel meddyliau ers gadael y tirlithriad. Ym mherfedd ei stumog, gwyddai fod y storm wedi agor crachen fyddai'n gwaedu ym Mhorth Milgi unwaith eto. Sut, wedi'r holl flynyddoedd, fyddai gwella'r dolur heb iddo fynd yn ddrwg unwaith yn rhagor? Pam ei bod hi, efo'r byd ar ei hysgwyddau'n barod, rŵan yn mynd i gario baich mawr arall? Mi gaeodd ddrws ei Mondeo yn glep. Gafaelodd yn dynn yn y llyw a gadael i'r gwaed adael ei dwylo. Caeodd ei llygaid. Fflachiodd y llun i'w hwyneb yn syth. Ei gwên siriol a'i diniweidrwydd yn pefrio. Dyma'r llun a oedd wedi ei blastro yn ffenestr pob siop, tafarn, papur newydd a sawl cartref yn y rhan yma o'r byd bron i ugain mlynedd yn ôl. Pob tro y byddai Ashurst yn ffonio adra bryd hynny, dyna'r unig beth fyddai ei mam yn sôn amdano. Roedd calon ei mam, fel un pawb arall, yn gwaedu dros deulu Hen Felin. Am fisoedd wedi'r diflaniad, pob tro y byddai yn postio'r papur bro neu bapur arall iddi i Lundain, y llun hwnnw o Branwen Williams fyddai'r peth amlyca ar y tudalennau. Yn y llun, a oedd mor glir yn llygaid ei meddwl hyd heddiw, roedd hi'n gwisgo ffrog llewys byr flodeuog hafaidd. Ai dyna'r union ffrog flêr, fudur, garpiog yr oedd hi newydd ei gweld ynghanol y mwd a'r baw funudau ynghynt? Agorodd ei llygaid. Gofynnodd iddi'i hun, efallai y byddai'n well aros i wneud rhagor o brofion? Na, meddyliodd, mi oedd hi'n gwybod yn iawn. Mi oedd mam Branwen wedi aros am bron i ddau ddegawd fel oedd hi. Doedd Ashurst ddim am ohirio'r artaith iddi am funud yn fwy. Taniodd y Mondeo ffyddlon a throi'r car tuag at Hen Felin.

Yn union fel yr oedd hi wedi ei wneud ers i'w byd ddod i stop, eisteddai Kathleen Williams yn ei hoff gadair freichiau yn llgadu gwacter. Mi oedd Breian ei gŵr wedi ei gladdu ers wyth mlynedd bellach. Doedd yr un gair yn holl eiriaduron y byd ddim yn cyfleu ei phoen. Pob eiliad yr oedd hi'n effro, mi oedd y düwch mwyaf anobeithiol a phoenus yn tyrchio'n ddyfnach, yn rhwygo rhagor o'i henaid. Teimlai nad oedd dim y tu mewn iddi, yr un organ, dim ond y düwch trwm anobeithiol yn tyfu pob dydd. Doedd yr un tabled, ffisig, sgwrs na chyngor yn ei helpu. Mi oedd Breian wedi cario ymlaen ac mi oedd hynny wedi ei gwylltio. Ond allai hi ddim. Haws oedd byw yn y gorffennol, bron ugain mlynedd yn y gorffennol. Chwe deg a phedair oed oedd Mrs Williams Hen Felin, mewn corff rhywun a oedd yn tynnu am ei chant. Clywodd y gnoc ar y drws. Sawl cnoc yr oedd hi wedi ei hanwybyddu ar hyd y blynyddoedd, tybed? Ond doedd hi ddim am anwybyddu yr alwad yma. Mi oedd yr unig ronyn yn ei chorff a oedd yn dal i deimlo yn dweud wrthi y dylai godi. Llusgodd ei hesgyrn at y drws.

Dychryn wnaeth Yvonne Ashurst pan agorodd ddrws Hen Felin. Doedd dim golwg o'r ddynes drwsiadus, smart yr oedd hi'n ei chofio yn byw yno. Ond rywsut, yn rhywle mi sylweddolodd bod rhyw argoel ohoni'n bodoli yn y ddynes a oedd yn sefyll o'i blaen. Doedd ganddi ddim syniad beth i'w ddweud, ond doedd dim rhaid iddi.

'Hogan Peter Ashurst ydach chi?' meddai'r llais bregus ddaeth o'r mieri o wallt gwyn. Rhywle ynghanol y rhychau croen dwfn, roedd ceg fain sych, 'dwi'n gwybod pam ych bod chi yma heddiw' meddai Kathleen Williams, cyn troi ei chefn a cherdded i mewn i'r tŷ. Er nad oedd gwahoddiad, mi ddilynodd Yvonne Ashurst hi i mewn i Hen Felin.

Hwn oedd un o hen dai Porth Milgi. Waliau gwenithfaen trwchus, toeau uchel a chymeriad yr oedd pobol ddŵad yn fodlon talu cannoedd ar filoedd o bunnoedd amdano. I mewn i'r cyntedd ac mi drodd Kathleen Williams i'r chwith wrth i Ashurst ei dilyn. Mi oedd ei ffroenau yn llawn aroglau Domestos, Dettol, Winter Pine a phob math o gemegolion eraill. Aeth i mewn i'r 'stafell fyw. Yn llenwi'r ffenest banoramig o'i blaen, roedd traeth Porth Milgi. Sgleiniai pob un ornament cheina a gallai weld ei hadlewyrchiad yn y llawr pren derw. Mi oedd y soffa flodeuog yn un fyddai wedi codi pwys ar unrhyw un fyddai'n deffro ar fore Sul ar ôl llaeth mwnci'r noson gynt, ac mewn ffrâm arian uwchben y lle tân – y llun. Yr union lun a oedd wedi ei ddefnyddio i apelio am wybdoaeth ynglŷn â diflaniad Branwen.

'Y ferch ddela welodd y pentra 'ma erioed,' meddai Mrs Williams o'i chadair a blanced bellach o amgylch ei hysgwyddau. Distawrwydd.

'Ma hi'n lân iawn yma.' Shit, meddyliodd Ashurst, peth gwirion i'w ddweud.

'Mae'r nosweithiau'n hir, mae'n gyfle i mi sgwrio'r lle yma o'r top i'r gwaelod,' oedd yr ateb gafodd hi. Distawrwydd.

'Gwrandwch Mrs Williams.' Mi gymerodd un anadl ddofn

er mwyn ceisio poeri allan yr hyn yr oedd ganddi i'w ddweud, ond chafodd hi ddim cyfle.

'Ydach chi wedi dod o hyd i'n hogan bach i?' Distawrwydd. 'Ar y traeth oedd hi? Mi ddudis i wrth Breian na yn y fan honno fyddai Branwen. Roedd hi wrth ei bodd yn fanno, er nad oedd hi'n gallu nofio.' Am eiliad, mi oedd Ashurst yn meddwl ei bod hi wedi gweld awgrym o wên ar ei hwyneb. Os oedd yna, mi ddiflannodd yr un mor gyflym. 'Ers chydig fisoedd cyn iddi fynd, mi fyddai'n deud ei bod yn mynd i lan môr bron bob dydd. Dydi o ddim yn bell, nachdi? Dydi pawb yn nabod ei gilydd yma. Ydach chi'n gweld bai arna'i hefyd?'

'Does yna neb...' Chafodd hi ddim cyfle i orffen.

'Yn lle oedd hi?' Distawrwydd. Wrth sefyll yn edrych arni, mi deimlodd Yvonne ei phengliniau yn gwegian.

'Yn y clogwyn, mi ddaeth hi i'r fei ar ôl storm neithiwr. Dwi'n pwysleisio, does gynnon ni ddim cadarnhad pendant na Branwen ydi hi, ond doeddwn i ddim am i chi glywed unrhyw beth gan rywun arall.' Damia, siarad rhy blaen, shit meddyliodd Ashurst. Tra roedd Kathleen Williams yn parhau i edrych i ddimbydrwydd yr olygfa trwy'i ffenest, mi welodd Yvonne o. Dim ond un ddaeth allan. Y deigryn lleiaf, mwya main welodd hi erioed. Doedd dim digon ynddo i rowlio lawr ei grudd hyd yn oed. Mi arhosodd yn y byncar mawr o dan ei llygaid. Dyna'r cyfan oedd ganddi ar ôl wedi'r holl flynyddoedd, meddyliodd Ashurst. Safodd yno am ychydig a throi i edrych ar y llun eto.

'Alla'i ddim dychmygu pa mor anodd ydi hyn i chi. Alla'i neud panad neu nôl dŵr i chi?' Ddaeth dim ateb, felly mi fentrodd Yvonne ofyn cwestiwn arall gan droi i edrych ar y llun eto.

'Cadwyn, y groes o amgylch gwddw Branwen, Mrs Williams, lle gafodd hi honno?' Dim. Distawrwydd.

'Cadwyn? Wn i ddim,' llusgodd y geiriau o grombil ei bodolaeth. A dyna'r pedwar gair olaf i gael eu siarad yn Hen Felin y diwrnod hwnnw. Mi aeth Ashurst allan i hafan y Mondeo o'r carchar oes yr oedd hi newydd fod ynddo.

8

Potshian

'Dos di ffor 'cw achos na mond un dortsh sgynnon ni.' Doedd Morris Edward Thomas ddim angen golau i weld coedwig Bodlondeb, er ei bod hi fel bol buwch. Mi oedd y lleuad wedi mynd i'w wely'n gynnar, felly mi afaelodd Callum yn y dortsh efo dwy law ddiolchgar.

'Dos di i chwilio am y snêr pella yn Cae Gwaelod, ti'n fengach na fi, mi a' i ar ôl y tri arall. Symuda fatha llgodan a dyro'r dortsh i bointio at dy draed yn unig. Wela'i di wrth gamfa lôn gefn.' Cyn i Callum gael cyfle i ofyn ymhen faint, mi oedd Moi Saim wedi uno'n ddisymwth efo'r nos. Doedd Callum ar y llaw arall ddim mor sicr o'i union leoliad – er ei fod o'n potshian efo Moi ers dwy flynedd.

Mi oedd yna awel fechan yn cosi gwar Callum bob hyn a hyn, yn ei wthio ymlaen trwy berfedd coed Bodlondeb. Doedd y coed yma ddim wedi eu difetha efo'r un goeden potal *bleach*, diolch i'r drefn. Doedd dim dwywaith bod bob un o'r coed yn dyst i garwriaethau, i gyfrinachau ac i sawl gweithred o dor cyfraith ar hyd y blynyddoedd. Yr hen ffyddloniaid oedd yn araf ildio i'r anorfod, wrth i'r fasarnwydden, yr onnen a'r dderwen dderbyn y ffaith bellach nad oedd modd dal gafael ar y dail. Canlyniad hynny ar ôl y storm oedd carped llithrig dan draed. Sglefrio, yn hytrach na cherdded oedd Callum yn ei wneud wrth nesáu at ei nod rhywle rhwng cerdded a rhedeg. Roedd ei feddwl yn rasio, y galon yn pwmpio ac roedd bob troiad yn edrych yr un fath. Bob tro yr oedd o'n mynd i botshian efo Moi, curai calon Callum yn ei stumog yn rhywle. Peth da oedd hynny yn ôl Moi Saim i gadw'r synhwyrau'n effro! Rhaid oedd eu cadw ar ddi-hun hefyd, neu buan y byddai Wilias Cipar yn eu rhoi nhw i gysgu. Doedd y gyfraith a riportio potshiars ddim yn y geiriadur iddo fo. Pastwn siarp diseremoni i ba bynnag rhan o'r corff oedd agosa fyddai hi yn ôl y sôn. Doedd Callum ddim yn gwybod hynny'n uniongyrchol, mwy na Moi, dim ond fod Moi wedi cael hanesion gan ei gyd-fentrwyr ar hyd y blynyddoedd.

Wrth i'r golau bach brysiog ddawnsio o flaen ei draed ar y dail gwlyb ac wrth i Callum ochrgamu cystal â Shane Williams o amgylch boncyffion y canrifoedd, dawnsio hefyd wnâi ei feddwl wrth iddo glosio at y snêr yn Cae Gwaelod. Cofiodd am y côr o geir plismyn oedd wedi mynd heibio'r bore hwnnw. Cofiodd am ymateb od ei fam ar ôl iddo regi arni am y tro cyntaf a'r tro olaf yn ei fywyd. Mi oedd y coed yn mynd heibio'n gyflymach erbyn hyn a'r traed yn llai sicr ar y llwyfan dros dro. Allai Callum ddim stopio meddwl am Parry Pregethwr. Pam hwnnw o bawb? Pam fod hwnnw wedi digwydd pasio funudau'n unig ar ôl iddo fytheirio ar ei fam? Damia. Ond chollodd o ddim eiliad ar ei ganolbwyntio, ei ochrgamu a'i ddeallltwriaeth o goedwig Bodlondeb. Mi arafodd wrth i'r coed lacio ac agor i Cae Gwaelod o'i flaen. Mi anelodd i'r chwith, lle'r oedd ffens y stad yn cosi rhyw batshyn o dir i warchod blodau prin, madfallod a rhyw gachu sentimental arall. Fan hyn y byddai Moi yn gosod snêr a chael llwyddiant bron yn ddi-ffael.

Doedd heno ddim yn eithriad. Mi oedd Moi yn giamstar

am wneud snêr. Y weiran yn gylch perffaith fyddai'n twyllo unrhyw gwningen ar ei llwybr arferol tuag at adref. Ond doeddan nhw ddim yn gweithio'n berffaith bob tro. Tynhau o amgylch y gwddf oedd y syniad, tagu yr anadl olaf o enaid y fach flewog. Gwelodd Callum fod y snêr wedi gweithio ond fod y teclyn wedi tynhau o amgylch y goes ôl chwith. Wrth ei glywed yn nesáu, mi ddechreuodd gicio yn wyllt wirion. Paid, meddyliodd Callum. Gwyddai nad oedd dianc o grafangau un o drapiau Moi Saim. Efo'i dortsh, penliniodd Callum wrth ochr y belen o fflwff, llwyd ffyrnig. Gwelai'r ofn yn y llygaid. Mi afaelodd yng ngwaelod y snêr, bron na allai deimlo'i chalon yn curo. Gwyddai ei bod wedi ei chornelu. Crafangodd efo'r dair pawen a oedd yn rhydd, neidiodd i fyny ac i lawr, i'r dde ac i'r chwith yn wyllt wirion. Gwelodd Callum yr anobaith yn ei mygu. Gafaelodd yn ei gwar a rhoi'i law dde o dan ei gên a thynnu ei gwddf i'r ochr 180 gradd. Dyna'i diwedd hi. Tawelwch. Llonyddwch. Euogrwydd.

Er fod Moi Saim wedi gorfod mynd i gasglu o dri snêr, mi oedd o'n dal yno wrth y gamfa yn disgwyl i'w brentis gyrraedd a thair cwningen yn y bag yn barod. Gafaelodd yn ddiolchgar yn y bedwaredd. Doedd dim rhaid i'r ddau ddweud dim wrth gydgerdded yn ôl am bentra Porth Milgi. Er fod blynyddoedd rhyngddynt, doedd fawr ddim yn eu gwahanu.

'Dwi mynd am Leion' meddai Callum o dan y golau stryd cyntaf ar y ffordd i mewn i Borth Milgi.

'Wela'i di' meddai Moi Saim gan droi i'r dde wrth i Callum fynd i'r chwith. Mi oedd Callum yn casáu dweud celwydd, wrth Moi Saim o leiaf.

9

Dwyn

DOEDD HI DDIM yn anodd torri mewn i Gapel y Gad, a fyntau newydd lwyddo i fynd i mewn ac allan o goed Bodlondeb. Bron nad oedd ffenestri'r hen le i'w clywed yn sgrechian am gôt o baent, wrth i'r hen goedyn stryffaglio i ddal y gwydr tenau yn ei le. Mater bach i Callum oedd rhoi ei fysedd rhwng y ffrâm bydredig a'r ffenest ei hun. Doedd ei noson o hela ddim ar ben. Mi oedd Parry Pregethwr wedi ei wylltio. Dyn oedd yn gweld ei hun yn well na phawb arall. Dyn oedd yn mynd o dan ei groen fel chwilen. Roedd o'n gwybod fod Parry yn edrych arno fo a gweddill Stad Cae Gwyn fel baw a dim mwy na hynny.

Unwaith yr oedd o i mewn yn festri'r capel, caeodd Callum y ffenest y tu ôl iddo. Mi symudodd yn ysgafn droed ar garped tyllog ond cadarn tuag at y drws a oedd yn agor i'r capel ei hun. Help garw oedd golau'r stryd yn taflu'i farn trwy'r ffenest, ond hyd yn oed petai ddim yno, gwyddai'r ffordd yn iawn. Sawl ymarferiad, sawl llun o ful a dail palmwydd, sawl emyn, sawl adnod o'i enau oedd wedi atseinio o amgylch y festri yn ystod yr Ysgol Sul ar hyd y blynyddoedd, dybed? Gormod. Ond doedd o ddim yno i foesymgrymu iddo Fo a gweddill Porth Milgi heno. Yno i ddwyn oedd o.

Agorodd y drws ac mi agorodd ysblander Capel y Gad o'i

flaen fel y môr coch. 1851. Doedd o ddim yn wahanol i'r rhan helaetha' o gapeli a oedd wedi eu hadeiladu trwy Gymru benbaladr yn yr oes aur honno. Ac fel y rhan fwyaf ohonyn nhw, roedd y Gad ar ei liniau. Doedd golau gwan y lleuad yn cynnig fawr o lwybr ond mi oedd Callum wedi bod yno'n ddigon aml i wybod yn union lle'r oedd o'n mynd. Yn reddfol, mi ddilynodd y brif res gan wybod bod y bocsys o seddi pren tywyll i'r chwith ohono a bod wal ochr chwith y pulpud ar y dde iddo. Stopiodd ar y gyffordd o'i flaen – llwybr i gefn y capel heibio'r rhesi undonog oedd i'r chwith a'r sêt fawr, y pulpud a'i wobr am dorri i mewn oedd i'r dde. Camodd i'r sêt fawr a chael ei gorlannu yn syth yn ei flaen tuag at y pulpud bach. Rhoddod ei ddwy law o'i flaen ac ar ôl ychydig eiliadau mi deimlodd y Beibl mawr trwm yn gorffwys ar y pulpud bach. Penliniodd. Sawl gwaith oedd o wedi gwneud hynny i adrodd gweddi yn y sêt fawr, dybed? Plygu i lawr i ddwyn oedd o'r tro hwn.

Byseddodd Callum ei ffordd o amgylch y bocs bach du oedd yn dal arian casglu'r diwrnod cynt. Doedd o ddim am wneud ei ffortiwn, pres cinio tan ddiwedd yr wythnos os oedd o'n lwcus. Arian i lenwi'i fol, yn hytrach na llenwi pwrs Presbyteriaid efo ceiniogau chaiff byth eu gwario yn enw Duw sydd ddim yn bod, meddyliodd. Gwyddai mai nid faint oedd yn bwysig, ond y byddai'i weithred yn rhoi dŵr poeth eitha ciaidd i Parry, dyna'i obaith mwyaf. Estynnodd ei gyllell boced o boced cefn ei jîns a'i llithro'n ddidrafferth o dan y clo oedd i fod i gau'r blwch. Agorodd y caead a rhoddodd ei law ynghanol ei wobr. Stwffiodd y ceinioga i'w bocedi blaen ac mi grechwenodd wrth deimlo o leia ddau damaid o bres bapur. Dau bapur pumpunt yntau papurau decpunt? Na go brin! Dim ond decpunt i gyd, ond mi oedd o'n fodlon wrth gau y caead a rhoi'r bocs yn ôl yn ei le. Erbyn hyn, roedd ei lygaid wedi arfer yn y tywyllwch a golau gwan y lleuad. Mi wnaeth ei ffordd yn dawel i lawr o'r sêt fawr ac fel yr oedd o'n rhoi ei droed ar lawr y capel mi glywodd y drws mawr y tu ôl i'w ysgwydd dde yn agor. Mi neidiodd yn ei groen, nes bod y sioc bron wedi ei hyrddio i un o'r seddi gwaelod oddi ar y prif góridor.

'Dydi hyn ddim yn dderbyniol,' meddai Parry Pregethwr ar draws y capel, nes bod ei lais yn atseinio. Caeodd Callum ei lygaid yn dynn mewn rhyw obaith prin y byddai hynny'n ei atal rhag cael ei ddal. 'Er dy les dy hun, dwi'n gobeithio y bydd di'n rheoli pethau o dy ochor di,' meddai Parry.

'Ssssssssssssh!' meddai ail lais. Doedd Callum ddim yn siŵr pwy oedd yr ail lais.

'Paid deud wrtha i am fod yn dawel, mae yna ormod i'w golli'n fan hyn ac mae'n rhaid i chdi wneud yn siŵr fod yna waith llnau,' taranodd Parry.

'Mi ddylia chi boeni am be sydd gynnoch chi' meddai'r ail lais. Iolo plisman meddai Callum wrtho'i hun! Y peth nesa mi atseiniodd y capel i sŵn peltan gyflym, front wedi glanio'n berffaith. Distawrwydd.

'Bydda'n ofalus iawn o dy ddewis o frawddeg nesa,' meddai Parry wrth Iolo. Ar wastad ei gefn a'r gwaed wedi gadael bochau'i din, trodd Callum y mymryn lleia i'r chwith yn ei guddfan o dan y sedd. Tarodd ei boced yn llawn newid mân un o hen bibellau gwres y capel. Atseiniodd y sŵn o dop i waelod y Gad. Ymunodd calon Callum yn sŵn atsain y newid mân. Distawrwydd.

Cymaint oedd y distawrwydd, mi allai glywed y traed yn dod tuag ato ar garped y capel. Mi ddaliodd ei wynt. Clywai'r traed yn nesáu cyn stopio wrth ochr y sedd oedd yn ei guddio rhag gweddill y byd. Caeodd ei lygaid. Clywodd Parry'n anadlu. Doedd llygaid Callum erioed wedi bod ar gau mor galed. Stopiodd anadlu. Doedd o DDIM am gael ei ddal, doedd o ddim am i hwn o bawb ei ddal efo llond poced o arian casgliad. Mi oedd y munudau yn teimlo fel oriau wrth i linell dynn a pherffaith o chwys ffurfio fel band tennis ar ran uchaf ei dalcen. Ar ôl be deimlai fel chwarter canrif, mi glywodd y traed yn symud ac yn cerdded yn ôl at y prif ddrws. Mi feiddiod Callum anadlu'n fain trwy'i drwyn. Doedd o erioed wedi bod mor falch yn ei fywyd.

'Rwbath arall yn rwla yn pydru yn yr hen le 'ma ma raid… Jyst gna'n siŵr bo chdi'n llnau petha o dy ochor di,' meddai Parry wrth frasgamu trwy'r drws ac allan o Gapel y Gad. Mi glywodd Callum Iolo yn ei ddilyn a'r hen oriad trwm yn cau y drws mawr yn dynn drachefn. Rowliodd Callum o'i guddfan ac anelu am y festri a'i lwybr am adref.

10

Pysgota

07:30 OEDD YR amser ar gloc gorsaf heddlu Porth Milgi. Bron nad oedd hi'n jôc galw'r hanner byngalo a oedd yn sownd i neuadd y pentra yn orsaf. Ond fel hyn yr oedd hi wrth i'r esgid ariannol wasgu mewn pentrefi a threfi ar draws gogledd Cymru. Doedd 'yr orsaf' ddim i fod yn agored hyd yn oed, dim yn y gaeaf fel hyn – dim ond yn yr haf wrth i'r bobologaeth chwyddo y byddai'r drysau ar agor fel arfer. Eisteddai'r ditectif Ashurst y tu ôl i ddesg a chyfrifiadur a oedd yn haeddu ei le yn Amgueddfa Sain Ffagan. Y sêff oedd un o'r unig greiriau a oedd werth ei gadw o'r dyddiau pan oedd gorsaf heddlu gwerth ei chael ym Mhorth Milgi. Mi oedd Ashurst wedi amau mai fel hyn y byddai hi ac mi oedd ei gliniadur personol newydd yn gysur o'i blaen wrth iddi deipio ei nodiadau hyd yn hyn. Doedd dim modd anfon y gwaith papur yn syth i'r pencadlys ym Mae Colwyn gan fod welingtons mewn hanner troedfedd o fwd yn symud yn gynt na'r cysylltiad â'r we. Doedd dim rhagor o gymorth i'w gael am y tro chwaith. Mi wnaeth y Prif Arolygydd hynny'n glir ar y ffôn. Doedd yr adnoddau ddim ar gael am o leia wythnos i gynnig help llaw oherwydd rhyw achos cyffuriau mawr ym mhen arall y rhanbarth. Doedd dim modd rhyddhau rhagor o dditectifs i edrych ar achos merch a fu farw flynyddoedd yn ôl. Mi oedd DI Ashurst wedi ceisio dyfalu yn lle'n union fyddai hi ar y rhestr o flaenoriaethau, ond gwyddai nad oedd achos mor hen â hwn yn mynd i gyfrannu at ystadegau'r llu ar gyfer eleni, felly be fyddai'r ots am achos Porth Milgi? Ond mi oedd ots gan Ashurst, am sawl rheswm. Brathodd y tu mewn i'w boch wrth deipio er mwyn osgoi cael ei thynnu i bwll o anobaith, gan wybod mai hi ei hun a Iolo plisman rhech oedd yr unig ddau oedd ar gael i weithio ar yr achos yn llawn amser. Oedd, mi oedd ganddi help y tîm fforensig, ond doedd fawr ddim y gallen nhw ei wneud ar ôl heddiw. Canodd y ffôn ar ei desg.

'Helô Yvonne? Colin sy ma.'

'Colin?' meddai'r ditecif yn syth yn llawn cyhuddiad a syndod.

'Colin Williams, ti'n nabod fi, mab Malcolm ffish.' Distawrwydd. Er fod Ashurst yn gwybod mai fel hyn y byddai, mi oedd hi'n dal i gasáu pobol yn dweud wrthi pwy oedd hi i fod i'w hadnabod a hithau ddim callach.

'Helô, ti'n dal yna?'

'Yndw' ebychodd Ashurst cyn ymestyn yn y gadair a rhoi ei dwy droed i fyny ar y ddesg.

'Wel, dwi'n gweithio i'r *Herald* a dwi wedi derbyn sawl galwad bore yma gan bobol yn cwyno bod y traeth yn dal ar gau yn y pen pellaf ar ôl y tirlithriad. Mae'n fore Mawrth heddiw a dwi angen rhoi'r papur yn ei wely erbyn bora fory neu fydd o byth ar y silffoedd erbyn bora Iau,' chwarddodd Colin yn nerfus.

'Ti am wneud stori am y ffaith bod rhan o'r traeth wedi cau yn yr hydref?' meddai Ashurst ben arall y ffôn gan rowlio ei llygaid.

'Nacdw siŵr! Am y ffaith fod corff wedi dod i'r fei yn y tirlithriad.'

Taflodd Ashurst ei thraed oddi ar y ddesg a neidio i fyny fel tae rhywun newydd roi ei sedd ar dân.

'Pwy sy'n deud?' meddai'r ditectif, yn ceisio rheoli'r tymer yn ei llais.

'Llawer o sïon a phobol yn siarad erbyn hyn' meddai Colin, yn llwyr ymwybodol fod o bellach yn dal y cardiau gorau posib yn y gêm yma o bocer yr oedd o'n ei chwarae.

'Dydi hynny ddim wedi ei ryddhau gan neb mewn awdurdod a does yna ddim sail o gwbl i be ti'n ddeud. Os wela i'r fath honiad di-sail yn gyhoeddus, mi wna i'n siŵr y byddi di a dy bapur yn talu.' Mi aeth y llinell yn farw. Rhoddodd Colin y ffôn i lawr â gwên ar ei wyneb. Dyna'r cadarnhad yr oedd o'n chwilio amdano.

Fforensigs

DOEDD DIM GWAED ar ôl yn ei dwylo. Mi oedd hi'n tagu llyw y Mondeo i'w dwylo gan wthio'i hun yn galed yn ôl i sedd y gyrrwr. 'Pam ddiawl i bod hi wedi gadael i'r riportar cachu yna fynd o dan i chroen hi mewn dim?' meddyliodd Ashurst wrthi hi'i hun. Llaciodd ei gafael a llifodd y gwaed drachefn. Er nad oedd hi am gydnabod hynny wrthi'i hun, mi oedd yr ymchwiliad yma eisoes yn rhedeg o'i blaen. Ar ei thelerau'i hun yr oedd hi'n rheoli ymchwiliad ac mi oedd hynny'n cynnwys rheoli pob diferyn o wybodaeth hyd nes yr oedd hi'n barod i agor y tap i'r llyn cyhoeddus. Mi oedd y syniad o'r wasg yn rhyddhau gwybodaeth cyn yr oedd hi'n barod i wneud hynny yn boen meddwl. Gwyddai y byddai'n rhaid rhyddhau'r wybodaeth am y corff yn fuan, ond mi oedd hi am wybod mwy yn gyntaf. Y munud y byddai'n cyhoeddi manylion am gorff, yna mi fyddai pawb yn gwybod yr union yr un faint â hi. Doedd hynny ddim yn ddigon da. Rhaid oedd cael mwy na'r hyn oedd ganddi, a dyna pam ei bod yn anelu am faes parcio traeth Porth Milgi unwaith eto.

Yn y fan honno, mi oedd uned fforensig symudol Heddlu'r Gogledd ar fin cau siop a dychwelyd i'r pencadlys. Erbyn hyn, mi oedd pob archwiliad posib o safle'r tirlithriad, y corff a'r traeth cyfagos wedi ei gwblhau. Roedd gweddillion Branwen Williams wedi eu cludo'n ddiogel i labordy fforensig ganolog y llu, pob asgwrn wedi ei symud yn ofalus a'i roi mewn bagiau unigol. Roedd y samplau pridd a thywod i gyd wedi eu casglu ac mewn jariau priodol. Ac mewn jariau roedd tameidiau o frethyn y ffrog. Mi oedd y tîm o dri a oedd wedi bod yn casglu yn gwybod nad oedd llawer i'w roi at ei gilydd o'r safle cymysglyd yma. Oherwydd fod y corff wedi ei gladdu am gymaint o amser ac oherwydd fod y tirlithriad yn gymysgedd o bridd a thywod hen a newydd, roedd hi'n anodd iawn dod i gasgliadau pendant.

Mi agorodd drws yr uned symudol a daeth Ashurst i mewn o wynt a dail yr hydref.

'Dydach chi rioed yn meddwl i throi hi rŵan?'

'Fawr o ddim arall allwn ni wneud,' atebodd y Dr Peter Guard, 'pob dim allwn ni i gasglu wedi'i roi yn y bagiau a'r jariau ac mi gawn ni gyfle i edrych ar yr esgyrn yn fwy manwl yn HQ.' Mi brosesodd Ashurst y wybodaeth iddi'i hun. Gwyddai nad oedd fawr ddim mwy allai'r doctor a'i dîm ei wneud, ond dyma'r unig help gwirioneddol a oedd ganddi am rŵan ac roedd y syniad o'u colli yn achosi ansicrwydd iddi.

'Mi oeddwn i'n iawn am y syniad o saethu,' meddai'r patholegydd wrth ysgrifennu nodiadau mewn llyfr du, 'mi ddaethon ni o hyd i sawl peled o gatran gwn 12 bore mewn sawl un o esgyrn meddal y corff. Does dim dwywaith ei bod hi wedi ei saethu. Allwn ni byth â bod yn siŵr os oedd hi wedi marw cyn cael ei saethu. Felly does dim modd cofnodi'n swyddogol be'i lladdodd hi. Ond fyddai ddim wedi gallu tynnu'r trigyr ei hun o edrych ar batrwm chwalu'r peledi, felly o leia mae'n achos pendant o lofruddiaeth.'

Mi gododd Peter Guard o'i stôl yn y gornel, a cherdded tuag

at gefn yr uned, heibio Ashurst a oedd yn dal i sefyll wrth y drws.

'Mi fydd modd cael proffil DNA llawn ac mi allai ddweud pa ddeunyddiau a oedd yn y ffrog. Ond oherwydd sawl haen o faw, pridd a mwd – dwi ddim yn obeithiol y bydd llawer o wybodaeth ddefnyddiol o'r samplau tir. Mae'n anffodus i ni fod tirlithriad wedi gorfodi'r holl beth i'r wyneb ac na chafodd safle'r drosedd ei chadw yn burach.'

Suddodd calon Ashurst wrth i'w hymennydd brosesu'r hyn yr oedd hi'n ei glywed. Mi aeth Guard i un o'r degau o ddrôrs yng nghefn y fan. Mi dynnodd un o'r jariau bach allan.

'A dyma'r newyddion gwaetha.' Cododd y jar uwch ei ben a thuag at y golau. Cododd Ashusrt ei phen i edrych, ac yng ngwaleod y jar mi allai weld y groes ar gadwyn yn un bwndel bach.

'Does dim olion bysedd cyflawn, dim ond rhai rhannol ar y gadwyn. Oherwydd bod cymaint o amser wedi mynd heibio, dwi ddim yn siŵr y bydd fawr o atebion fan hyn chwaith.' Llifodd yr anobaith o wreiddiau gwallt ei phen a threiddio i bob modfedd o gorff y ditectif mewn mater o eiliadau. Mi oedd hynny o obaith prin a oedd ganddi cyn agor drws yr uned fforensig wedi diflannu. Synhwyrodd Peter Guard hyn ac mi geisiodd fygu rhywfaint ar yr ymdeimlad oedd yn llithro i bob congl o'i labordy dros dro.

'Ond beth sydd yn ddiddorol ydi hwn,' meddai wrth dynnu llun allan o un o'r drôrs wrth ei ochr. 'Mi gafodd olion troed yr esgid eu darganfod yn y pridd ychydig droedfeddi o le ddaeth y corff i'r fei. O'r samplau, mi gawson nhw eu creu oria'n unig cyn i ni gyrraedd y safle. Mae'n esgid drom, *steel toe*. Yn ogystal â lluniau, mi ydan ni wrth gwrs wedi cael set plaster cast o'r hoel.'

Mi edrychodd Ashurst ar y llun o'i blaen am eiliadau heb ddweud dim. Doedd ganddi ddim byd arall. Dyma'r unig drywydd a oedd ganddi ar hyn o bryd. Mi syllodd ar y llun am rai munudau. Mi gariodd y Dr Peter Guard ymlaen i orffen ei waith. Rhoddodd Ashurst y jar yn cynnwys y gadwyn mewn bag tystiolaeth, gafaelodd yn y bagiau a'r jariau eraill ac mi chwiliodd am amlen glir i roi llun yr esgid ynddo fo. Ar ôl gwneud hynny, mi aeth am y drws a chroesawu'r gwynt i mewn i lenwi'r uned efo'r un oerni ag yr oedd hi ei hun yn ei deimlo.

12

Newyddion

GAN FOD EI alwad ffôn gynta wedi mynd cystal, mi oedd
Colin Williams yn edrych ymlaen at weddill y dydd. Fel
hogyn i sgotwr o Stad Cae Gwyn, bron nad oedd Colin yn
ymgorfforiad perffaith o bawb a phopeth o Borth Milgi.
Doedd dim llawer nad oedd o'n ei wybod am y lle. Mi oedd
ei deulu yno ers canrifoedd, yn ôl ei dad, a physgotwyr oedd
bob un wan jac. Ond doedd ei fam ddim am i'w Cholin bach
hi barhau â'r traddodiad. Mi fyddai'r oriau hir, y peryglon,
yr aroglau perfedd pysgod a gwario'r elw gorau yn y Leion
yn dod i ben efo Malcolm Ffish. Mi wnaeth hi'n siŵr fod
ei mab yn cael digon o gyfleoedd yn yr ysgol i ddechrau
prentisiaeth efo'r *Herald* – a dyna'n union wnaeth o. Colin
Williams oedd prif ohebydd yr *Herald* ar gyfer Porth Milgi
a gorllewin y sir. Efallai nad oedd o'n gosod rhwydi neu
godi cewyll, ond roedd pysgota yn ei waed heb os. Rhwydo
straeon a sicrhau mai fo oedd gan y straeon gorau oedd diléit
mwyaf Colin.

'Helo, Dyfrig', meddai i lawr y ffôn o swyddfa'r *Herald*
uwchben siop jips Bob Batyr yn dre. Ar wahân i'r ogla o bob
dim byw yn cael ei ffrio, mi oedd Colin yn hoff o'r swyddfa
a'i golygfa ar draws maes parcio'r traeth. 'Colin Ffish sy ma,
clwad bo chi 'di colli hannar cae draw yn Bonc 'cw yn y storm

nos Sadwrn,' a gwrandawodd Colin yn astud gan sgwennu yn ei lyfr nodiadau yr un pryd.

'Ia, wela i. Felly naethoch chi ddim gweld y corff, mond gweld y dent fforensig?' Doedd hynny ddim yn ddigon. Roedd Colin yn gwybod hynny ond mi ddiolchodd i Dyfrig Bonc a rhoi'r ffôn i lawr. Cododd y ffôn eto a deialu rhif cyfarwydd iawn.

'Iolo, gwranda, paid â deud dim heblaw wyt neu nagwyt, na'i mond gofyn hyn a rhoi'r ffôn i lawr. Ydw i'n iawn i ddeud bo chdi a dy fêts wedi dod o hyd i gorff ar y traeth ddoe?' Crechwenodd Colin wrth glywed yr ateb. Bron iawn. Oedd, mi oedd y pysgodyn ar ben arall y lein erbyn hyn, ond mi oedd y wialen yn dal i ysgwyd. Doedd dim sicrwydd y byddai'n llwyddo i'w ddal. Deialodd rif arall ar y ffôn.

'Bore da Mr Parry, Colin o'r *Herald* sydd yma, ffonio ydw i... Nage, wyddwn i ddim fod neb 'di torri i mewn i'r cape... nage dim dyna pam nes i ffonio a deud y gwir. Ydach chi'n gwybod am yr hyn sydd 'di ei ddarganfod ar y traeth, fel gweinidog lleol sydd â'i fys ar y pyls...' Ysgrifennodd Colin nes fod mwg yn dod o'r feiro. Pob tro yr oedd rhyw drasedi neu ddigwyddiad, roedd y dyfyniadau am gydymdeimlad a chymorth y gymuned yn llifo o enau pob pregethwr a chynghorydd. Ar ôl bron i bum munud, mi ddiolchodd Colin a rhoi'r ffôn i lawr am y tro ola'r bore hwnnw. Mi oedd ganddo ddigon erbyn hyn i fod yn eitha siŵr o'i betha. Edrychodd ar ei ffôn symudol a sylwi ar e-bost gan Heddlu'r Gogledd. Mi agorodd hwnnw i weld bod cynhadledd i'r wasg wedi ei galw ym Mhorth Milgi erbyn un o'r gloch y prynhawn hwnnw. Doedd Colin erioed wedi gweld na chlywed am yr heddlu yn galw cynhadledd ym Mhorth Milgi o'r blaen. Ond mi oedd o gam ar y blaen ar bawb, wrth gwrs – gan gynnwys y papurau rhanbarthol, y BBC a phob un arall.

Agorodd gyfri Twitter *Yr Herald* ar ei ffôn symudol. Syllodd ar y sgrin am yn hir gan wybod y byddai'r blwch o'i flaen a'i lwyfan i lond dwrn o eiriau yn cael coblyn o effaith:

Corff wedi ei ddarganfod ar draeth #Porthmilgi ar ôl y tirlithriad nos Sadwrn. Cynhadledd i'r wasg am 13:00. Corff ddim o'r dŵr. Llofruddiaeth?

Syllodd Colin ar y sgrin fach yn ei law am rai munudau. Bron nad oedd o'n gallu credu y byddai'n ysgrifennu'r fath beth am ei bentra genedigol. Llifai'r adrenalin trwy'i gorff. Gwyddai y byddai ar flaen y gad ac y byddai hyn yn tynnu blew o drwyn sheriff newydd Porth Milgi. Heb oedi ymhellach, pwysodd Colin y botwm *tweet* yng nghornel dde ucha'r sgrin gan anfon ei neges fer i bob un o'r 2,364 o ddilynwyr *Yr Herald*.

13

Coler

'Yndi Mrs Davies, popeth yn iawn, mi fydd y festri ar gael i blygu *Y Gylfinir* fis nesa, mi wna'i'n siŵr o hynny, diolch am ffonio.' Rhoddodd John Parry'r ffôn i lawr yng nghyntedd y Mans. Ond mi ganodd bron yn syth drachefn.

'Unrhyw neges arall Mrs Da...' Safodd yn stond yn ei unfan. Gwrandawodd yn astud ar y distawrwydd ar ochr arall y ffôn. Doedd dim angen i'r Cadeirydd ddweud dim.

'Fydd hyn ddim yn broblem, dwi 'di siarad efo'n ffrind ni yn yr orsaf', meddai'r pregethwr a rhoddodd y ffôn i lawr.

Cododd John Parry ei ben yng nghyntedd y Mans gan edrych arno'i hun yn y drych. Cyn i'r goler ei gyfyngu, plismon oedd Parry. Ond go brin y byddai ei dactegau a'i agwedd yn ennill lle iddo ar y ffôrs erbyn hyn. Roedd yn ddyn mawr, dros ei chwe throedfedd â dwylo fel dwy shefl lo fawr. Ond ei wyneb oedd y peth amlyca amdano. Asgwrn gên mawr sgwâr, fel petai bwrdd snwcer yn gorwedd o dan res waelod ei ddannedd. A'r rheini wedyn, fel cerrig beddi oedd yn wynnach na gwyn o gofio ei fod yn saith deg pump oed. Câi sbectol dew drwchus ei dal yn ei lle gan drwyn y byddai plentyn yn gallu ei ddefnyddio i sgio. Roedd ganddo ddwy glust fel dau gamon mawr a thalcen sgwâr, moel digymeriad. A'r gwallt fel y fagddu, diolch i Just For Men a Brilcreem oedd yn dal bob blewyn yn union lle'r oedd i fod – boed law neu hindda. Presenoldeb, dylanwad, gorchfygwr – dyn fyddai'n gallu mygu ystafell o bob anadl arall trwy eu sugno i'w fodolaeth ei hun mewn brawddeg. Yr union fath o ddyn oedd yn ei elfen mewn pulpud. Yr union fath o ddyn a oedd yn sicrhau fod cynulleidfa wedi ei chyfareddu a'i swyno.

Oherwydd ei brofiad yn y byd cyn Yr Alwad, roedd ganddo syniad da iawn o hyd am sut yn union yr oedd ymchwiliad yn cael ei gynnal. Gwyddai fod yn rhaid rhoi y jig-so anferth at ei gilydd. Gwyddai hefyd fod treigl amser o'i blaid ac y byddai'n anodd wedi'r holl flynyddoedd i blismyn symud yn gyflym iawn efo unrhyw wybodaeth. Efallai y byddai'n rhaid iddo ychwanegu darn arall i'r jig-so, neu o leiaf ychwanegu'r posibilrwydd o ddarn arall er mwyn arafu gwaith ei gyn-lu. Mi oedd ganddo ormod i'w golli wedi gweithio'n galed ers degawdau i helpu sefydlu'r drefn gyfrin ac i blesio aelodau'r cylch a'r Cadeirydd. Doedd o ddim am eiliad yn mynd i ildio tir, doedd hynny ddim yn ei natur. Fel plygu papur bro yn union, mae'n rhaid dilyn yr un drefn, bob amser, yn brydlon.

14

Cynhadledd

CERDDODD YVONNE ASHURST o orsaf heddlu Porth Milgi i neuadd y pentra oedd yn sownd iddi. Distawodd y neuadd fechan wrth iddi gerdded i mewn. Eisteddodd o flaen y bwrdd a dechreuodd y camerâu fflachio.

'Diolch i chi i gyd am ddod yma heddiw. Mi alla'i gadarnhau fod corff wedi ei ddarganfod ar draeth Porth Milgi a bod ein hymchwiliadau ni'n parhau. Dwi'n deall fod y cyfnod yma yn un pryderus i bawb sydd yn byw yn yr ardal, a dyna pam dwi am i bawb wybod ein bod yn gwneud popeth o fewn ein gallu i ddod â diwedd cyflym i'r achos. Ar nodyn mwy cadarnhaol, mi alla'i ddweud wrthoch chi y bydd yr holl draeth ar agor i'r cyhoedd unwaith eto bore fory. Unrhyw gwestiyna?'

Llais, o'r cefn.

'Iago Silyn, BBC Cymru. Allwch chi ddweud wrthon ni os mai corff dyn ta corff dynes gafodd ei ddarganfod?'

'Mae'n ymddangos fel corff dynes, ond dydi hynny ddim wedi ei gadarnhau, mi fydd angen rhagor o brofion...'

'Sy'n awgrymu fod y corff wedi bod yno ers peth amser?'

'Mi allwch chi ddyfalu hynny.'

Un arall, o'r sedd flaen y tro hyn.

'Angela Rutherford, *Daily Post*, can you tell us if the body washed in from the sea or was it found within the landlslide?'

'No I can't at this stage,' oedd ateb y DI yn ei hacen Saesneg de-ddwyrain Lloegr.

'Colin Williams o'r *Herald*. Allwch chi ddweud wrthon ni ydi'r achos yn cael ei gysylltu efo diflaniad Branwen Williams yn 2003?'

Tawelwch. Tawlewch llethol i glustiau Yvonne Ashurst. Doedd hi ddim wedi disgwyl clywed ei henw yn cael ei yngan yn gyhoeddus mor fuan â hyn. Mi gymerodd swig o ddŵr o'r gwydr o'i blaen, pwyllo, cyn edrych ar Colin am amser hir.

'Dydan ni ddim yn cysylltu unrhyw beth ar hyn o bryd. A diolch am y tweet yn gynharach, ond alli di ddim gwneud gwaith plismon trwy ddyfalu'n gyhoeddus.' Tynnodd ei llygaid oddi ar Colin ac edrych ar yr ystafell unwaith eto.

'Dyna ni am rŵan, thanks for coming, we'll issue any updates as and when necessary.' Cododd DI Yvonne Ashurst a cherdded drwy'r drws i gliciau cyson y camerâu, bysedd prysur y newyddiadurwyr a sibwrd uchel wrth i sawl fersiwn tabloid o'r ffeithiau gael eu rhoi at ei gilydd.

Kiwanuka

BÔRD. DYNA OEDD Callum. Yn eistedd yn ystafell y chweched.
Mi oedd yna griw arall yno yn cael rhyw gyfarfod Cymdeithas
yr Iaith neu wbath a sôn am ryw brotest yn dre ryw dro ond
roedd hi'n well gan Callum roi ei *headphones* ymlaen a dewis
ei hoff stwff o Spotify.

Lle rhyfedd ydi ystafell y chweched mewn unrhyw ysgol
– lle dirgel ag aroglau rhyw gyffro gwahanol o'i gymharu
hefo pob stafell arall yn yr adeilad. Mae'n cynrychioli'r ffin
aneglur honno rhwng bod yn ddisgybl ysgol a bod yn oedolyn.
Mae pawb sy'n cael croesi trothwy yr ystafell o'r córidor i'w
charped llwyd, rhad yn golygu eu bod nhw uwchlaw pawb
arall yr oeddan nhw'n rhannu'r córdior â nhw eiliadau ynghynt.
Mae'n ok i wneud dim a lladd amser fan hyn, trafod dim byd a
breuddwydio am y cymal nesaf mewn bywyd – cael pleidleisio
a gyrru car. Cyfrifoldeb y chweched ydi dangos arweiniad i
weddill yr ysgol.

Wrth i rai o ganeuon anhygoel Michael Kiwanuka lenwi
ei glustiau, mi oedd gan Callum gyfle i edrych o'i gwmpas.
Mi oedd y rhan fwya o ddisgyblion eraill chweched Ysgol Cae
Garw wedi mynd i lawr i'r dre i nôl cinio – rhywbeth arall yr
oedd Callum yn casáu bod yn rhan ohono. Y ddefod o gerdded
i'r stryd yn yr iwnifform – y jympyr biws, y gôt orau ddu a'r

tei du a phiws yn gwneud i bawb edrych fel rhyw gang cachu rhech. Ond mi oedd o'n gallu manteisio ar hynny drwy weld yr ystafell i gyd bron o'r gadair lle'r oedd o'n eistedd yn smalio darllen.

'Gwnewch Bopeth Yn Gymraeg' – be bynnag oedd hynny'n feddwl. Mi oedd y poster hwnnw wrth y drws wedi bod yno ers i rywun gynhyrchu papyrus am y tro cyntaf. Rhyw baent brown piblyd oedd ar y waliau a mwy o bosteri a rhyw gerddi. Rhyw foi o'r enw Waldo (oedd yn atgoffa Callum o Walt Disney am ryw reswm, neu enw ar un o'i gartŵns o leia). Poster arall â'r teitl 'Etifeddiaeth'. Doedd Callum ddim ym meindio hwnnw – oedd o'n dallt be oedd y boi'n ddweud. Ers blynyddoedd, mi oedd Callum yn gweld Porth Milgi yn cael ei werthu fesul tŷ felly mi oedd o'n dallt bod ni wedi cael tir i brofi ein bod ni wedi bodoli ond bod ni bellach ddim yn *bothered* i neud dim am y peth. Pwy bynnag oedd y boi sgwennodd hi – GLlO oedd o'n ddweud ar y gwaelod – mi oedd o'n licio'r boi.

Sinc budur, cwpwrdd staens te, coffi ac olion bwyd ar y wal o'r *food-fight* ddwytha oedd yr unig beth arall yn y rhan yna o'r stafell. A dyna ni – ffenestri yn edrych ar faes parcio'r athrawon, dwsin o gadeiriau, pedwar locer a rhyw dri nad oedd o'n nabod oedd o'i flaen y pnawn hwnnw. Mi oedd ganddo fo hiraeth am y criw.

Tybed sawl tun paent oedd Babo wedi'i gymysgu erbyn hyn? Sawl gwaith oedd Saim Bach wedi bod yn eistedd yn fodlon ei fyd yng nghab ei dractor yn barod heddiw? Sawl smôc oedd Jac-Do wedi'i thanio i ddathlu'r ffaith na fyddai fyth yn gweld dim o'r byd y tu hwnt i Borth Milgi? Efallai nad oedd y tri, ar bapur, yn ddigonol i gael croesi trothwy ystafell y chweched, ond mi oedd Callum yn gwybod bod yna fwy o allu, mwy o ddealltwriaeth o'r byd a'i bethau o fewn eu criw nhw nag oedd gan unrhyw un arall yn y 'stafell ar yr eiliad honno. Mam bach, mi oedd y lle yn ei fygu.

Mi grynodd ei ffôn yn ei law, nodyn gan Twitter yn dangos neges gan gyfri roedd o'n ei ddilyn, *Yr Herald*:

Corff wedi ei ddarganfod ar draeth #Porthmilgi ar ôl y tirlithriad nos Sadwrn. Cynhadledd i'r wasg am 13:00. Corff ddim o'r dŵr. Llofruddiaeth?

Mi dynnodd Kiwanuka o'i glustiau ac eistedd yn dalsyth yn ei gadair. Mi sychodd y poer yn ei geg. Neidiodd ei feddyliau yn ôl ac ymlaen yn ei ben fel pelen peiriant *pin-ball*. Mi oeddan nhw yno, pob un ohonyn nhw fel criw pan welon nhw lamp ym mhen draw'r traeth y noson honno. Yn yr un pen draw lle'r oeddan nhw rŵan wedi dod o hyd i gorff. Oeddan nhw wedi gweld llofrudd? Oeddan nhw wedi gweld rhywun oedd yn gyfrifol am ladd? Na, meddyliodd, rhywun yn hela draw yn rhyw gae agos yr oeddan nhw wedi'i weld fwy na thebyg. Ond doedd Callum ddim yn hapus. Edrychodd ar ei ffôn eto, cau y sgrin Twitter a dechrau teipio neges i'w hanfon i Babo, Jac-Do a Saim Bach:

Pawb i gwarfod wrth cytia traeth erbyn 7 heno. Ma hyn yn sîriys.

Pluo

DIM BYD. DOEDD dim byd y tu ôl i'w llygaid. Yn farw a'i chorff yn llipa. Mi oedd ei chorff yn ysgwyd yn frwnt pob tro y byddai'n tynnu arni. Doedd ganddi nunlle i fynd, mi oedd ei hurddas wedi ei dynnu oddi arni, a rŵan mi oedd yr unig beth a oedd yn ei gwarchod rhag y byd yn cael ei rwygo oddi ar ei chefn.

Mi oedd Moi Saim yn casáu pluo. Er ei fod wrth ei fodd yn hela, mi oedd tynnu'r plu o gefn ffesant yn un o'i gas bethau. Doedd o mo'r gorau am wneud fel oedd hi, ond mi oedd heddiw yn waeth. Mi oedd o'n wyllt wirion wrth dynnu a rhwygo a'i fysedd seimllyd yn ei chael hi hyd yn oed yn anoddach na'r arfer. Crynai fel deilen wrth geisio tynnu'r plu, nes gwylltio yn y diwedd. Mi afaelodd yn yr aderyn a'i daflu i ben draw ei gwt.

'Dos o ma'r uffar!' gwaeddodd, cyn eistedd ar ei gwrcwd yn crynu. Caeodd ei lygaid a chymryd un anadl ddofn er mwyn pwyllo. Mi agorodd lens camera ei ymennydd unwaith eto a gweld cysur y cwt o'i gwmpas. Doedd hwn ddim mo'r lle mwyaf – wyth troedfedd wrth wyth troedfedd o frics coch, to sinc yr oedd o'n ei baentio bob blwyddyn, ffenestr bren oedd yn cael yr un driniaeth, hen le tân bach brics i losgi logs a glo a drws *double glazing* roedd o wedi'i gael mewn *car boot sale* ryw dro. Ond fan hyn oedd o'n teimlo fwya cyfforddus yn ei groen. Cegin, gwely a thŷ bach oedd yr unig bethau o ddefnydd i Moi y tu mewn i nymbyr ffifftîn – cragen i'w gynnal ers i'w fam ei adael o rhwng y muriau ei hun. Yng ngwaelod yr ardd, yn ei gwt, oedd o'n cael cysur.

Yng nghongl bella'r cwt, lle'r oedd o yn ei gwrcwd ar lawr, mi oedd Moi yn pwyso ar y cabinet dal gynnau. Pedwar twelf bôr oedd wedi saethu degau o ffesantod, sawl cwningen ac ambell i ysgyfarnog ar Stad Bodlondeb neu ar dwyni traeth Porth Milgi dros y blynyddoedd. Ar y chwith iddo, mi oedd ei fainc bren hir efo'r feis bach. Yn fan hyn y byddai'n treulio oriau yn creu plu pysgota cywrain, hardd a manwl. Doedd dim blewyn o'i le ar y fainc – mi oedd pob un sgriwdreifar, morthwyl bach, spaner a goriad yn eu lle. Mi oedd o'n casáu gweithio mewn llanast – rhaid oedd cael trefn. Roedd o wedi dysgu hynny ar y môr – doedd byw mewn bocs sgwâr bach efo dyn arall yn cysgu uwchben ddim yn rhoi cyfle i adael lle blêr.

Pan adawodd Borth Milgi ddiwedd y saithdegau, doedd o wir ddim wedi bwriadu treulio cymaint o flynyddoedd ar y môr. Saith U gafodd yn ei arholiadau Lefel O – *unique* oedd ei fam wedi'i ddweud oedd hynny'n olygu – ond dim digon unigryw i gael gwaith call, sefydlog. Felly pacio'i fagiau a mynd am Lerpwl wnaeth Moi, heb fawr o syniad be fyddai'n ei ddisgwyl. Ond ar y dociau yn fanno, yn un deg chwech oed, mi sylweddolodd fod yr heli yn ei waed go iawn.

Ambell i joban ar ddwy long ar y dechrau – y Theobold a'r Orchard – dim byd mwy na glanhau a thwtio yn y gegin a stafelloedd y swyddogion. Llongau oedd yn cludo bwyd oedd y rhain. Cysgu mewn lojins budur ond clyd yn Toxteth a lawr i'r dociau i chwilio am waith. Am y naw mis cyntaf, mi oedd o lawr wrth y Queens Dock cyn iddi wawrio. Sleifio ar hyd strydoedd Toxteth o'i fflat yn Geraint Street, lawr Warwick Street, i'r dde ar Mill Street, i'r chwith ar Hill Street ac i lawr wedyn at un o'r afonydd enwocaf yn y byd. Mi oedd y daith yn glir iawn yn ei ben hyd heddiw. Mi oedd Lerpwl yn glir iawn yn ei ben – y bobol, y caredigrwydd, y cyffro a'r cyfeillio. Ond wedyn mi gafodd gynnig i hwylio, i fod ar y môr mawr ei hun.

Oherwydd ei brofiad yn trin peiriannau a hen bethau ym Mhorth Milgi, mi sylweddolodd mecanic y Theobold bod yna allu naturiol gan Moi Saim. Tra roedd o'n twtio yn stafell injan ddiesel y Theobold un p'nawn mi welodd Moi bod yna olew yn gollwng o *sump gasket* un o'r bedair injan fawr. Doedd hi ddim gwahanol i unrhyw injan car yr oedd o wedi ei thrin yn y gorffennol, felly mi aeth ati i atal yr olew o'r beipan modfedd – ei chlampio yn ddiogel, gadael yr olew oedd yn weddill i ollwng i fwced, tynnu caead y symp, gweld bod y tamaid o rwber y tu mewn wedi hollti, newid hwnnw a rhoi pob dim yn ôl yn ei le fel ag yr oedd. A dyna ddechrau gyrfa Moi Saim ar y môr. Heb yn wybod iddo, mi oedd Eric y mecanic yn gwylio o gefn yr ystafell ac mi gafodd gynnig yn y fan a'r lle i fod yn brentis iddo fo. More Moy oedd ei lysenw. Mwy o'r un peth oedd Eric am ei weld gan y Cymro – enw fyddai'n cael ei gwtogi yn y diwedd i More yn unig gan weddill y criwiau y byddai'n ymuno â nhw.

Wrth edrych o gwmpas ei gwt rŵan, mi roddai unrhyw beth i fod yn ôl ar y môr. Wrth anadlu creosot o'r jariau, bu bron i Moi fygu ar yr atgofion a'r euogrwydd yn cronni fel cynnwys y jariau yng nghrombil ei stumog. Edrychodd i fyny lle'r oedd o leia ddeuddeg gwialen bysgota yn gorffwys rhwng y trawstiau. Caeodd ei lygaid unwaith eto. Rhoddodd ei ddwylo saim ffesant trwy'i wallt trwchus gwyn-ddu.

Ynghanol y plu adar, y plu pysgota a'r holl arogleuon, mi ddechreuodd pen Moi Saim droi. Edrychodd ar y bocs oedd yn dal ei bwysau plwm pysgota – yr un bocs oedd yn cadw'r peli led oedd o'n eu defnyddio i lenwi ei getris gwn. Am hanner eiliad, mi feddyliodd y gallai lyncu'r peli bach mân rheini roedd o fel arfer yn eu saethu tuag at greaduriaid eraill. Tybed faint o amser fyddai'n gymryd i'r peli lèd lygru ei stumog a'i waed? Mi allai adael y byd yn ei gwt cysurus wedyn, yr unig le lle'r oedd o'n teimlo'n gwbl hapus. Llyncodd boer y syniad o'i ymennydd a gadael iddo lithro i lawr ei gorff law yn llaw â'r ogla creosot. Ond, am funud, doedd ganddo ddim i fod â chywilydd ohono. Doedd o ddim wedi gwneud dim o'i le, nagoedd?

Sbiodd ar i watsh. Mi oedd Moi Saim yn gwybod bod amser yn ei erbyn. Mater o amser oedd hi cyn y byddai cnoc ar y drws, cnoc o'r gorffennol yn ei lusgo i'r presennol du ym Mhorth Milgi. Doedd dim y gallai wneud. Rhedeg? I be? Fel potshiwr, doedd neb yn gwbod yn well na Moi Saim bod anifail sy'n rhedeg am ei fywyd yn gwneud camgymeriad sy'n costio'n ddrud iawn yn hwyr neu'n hwyrach. Na, mi fyddai'n aros am y gnoc fel dyn. Derbyn y byddai dydd y farn yn cyrraedd ac y byddai yntau o fewn yr oriau nesaf yn wynebu pluo o fath gwahanol iawn. Am y tro cyntaf yn ei fywyd, mi oedd gan Moi Saim ofn.

17

Amheuon

'Pryd ma rhech yn beryg?' oedd cwestiwn Saim Bach wrth iddo gerdded ar hyd y traeth a nesáu at y cytiau lle'r oedd Callum a Jac-Do eisoes yn eistedd ar y tywod.

'Pan ma 'na lwmp yni!' atebodd Jac-Do, ac mi ddechreuoedd y ddau chwerthin yn uchel. Hen jôc rhwng y ddau oedd yn cael ei defnyddio ers yr ysgol gynradd, ond mi oeddan nhw'n dal i chwerthin bob tro y byddan nhw'n ei rhannu a doedd rŵan ddim gwahanol. Ond llais Babo ddaeth i rwygo trwy'r chwerthin.

'Well bod hyn yn bwysig,' oedd y peth cynta o geg hwnnw wrth iddo fo gyrraedd y cytiau. Heb fwyd yn ei fol ac ar ôl shifft ddeg awr yn ffatri baent y dre doedd yna fawr o fynadd. Llond bol o fwyd gan ei fam a gwylio gêm Lerpwl ar y teledu oedd yr unig beth oedd wedi bod ar ei feddwl trwy'r dydd hyd nes y cafodd neges Callum.

'Dwi 'di bod yn redig caea trwy'r dydd hefyd,' meddai Saim Bach, 'ond fysa ni ddim yma heblaw bod gan Callum wbath i ddeud dwi'n siŵr.'

'Ia. Ty'd laen Callum, lloria ni,' ategodd Jac-Do.

'Dwi meddwl bod ni 'di gweld wbath noson blaen...' Mi adawodd Callum y geiriau yn hongian yn yr awyr yn disgwyl i rywun eu sugno a'u prosesu, neidio ar eu traed a chynnig ffordd ymlaen. Ond yn hytrach, distawrwydd. Y tri arall yn edrych arno fo yn dweud dim am chydig eiliadau – cyn i Babo agor ei geg.

'Ti off dy gacan, gawson ni'r sgwrs 'ma am be odd pawb 'di weld ar teli noson blaen. Sgin i ddim syniad am be ti'n sôn. Dwi'n mynd adra…'

Mi gododd y ddau arall a dilyn ôl troed Babo. Doedd Callum ddim wedi meddwl na chael trefn ar be'n union oedd o am ei ddweud, mi oedd hynny yn amlwg iddo fo erbyn hyn.

'Naci', gwaeddodd ar eu holau, 'y niws am y corff, dach chi ddim yn cofio gweld golau lamp yn dod o ben draw traeth?' Mi ddisgynnodd y geiniog i'r gweddill. Wrth gwrs, gweld lamp yn yr un lle ag ma 'na gorff yn dod i'r fei. O'r diwedd, mi wnaethon nhw roi dau a dau efo'i gilydd a chael pedwar. Mi ddaeth pawb yn ôl, yn nes at Callum ac eistedd mewn cylch unwaith eto o flaen y cytiau glan môr.

'Ia, ma siŵr na Dyfrig Bonc oedd yn mynd i weld faint o ddefaid oedd o 'di golli neu faint o dir oedd 'di mynd,' cynigiodd Saim Bach. Mi oedd hynny yn gwneud synnwyr am yr eiliadau nesa, cyn i Babo agor ei geg.

'Ond os ti am fynd i weld faint o ddefaid sydd 'di mynd neu faint o dir sydd ar goll, ti'n mynd efo'r haul allan, dim y lleuad.' Mi aeth yn ddigon agos i funud heibio cyn i neb ddweud dim arall a Jac-Do oedd hwnnw.

'Ok, iawn, mi oeddan ni yma a mi wnaethon ni weld golau lamp neu dortsh, ond dydi hynny ddim am neud dim gwahaniaeth i'r cops nachdi? Dydi hynny'n golygu dim. Ond na'i ffonio y 101 yna os dach chi isho i ddeud be naethon ni weld.' Mi oedd Jac-Do yn gwybod bod yna fwy iddi, bod gan Callum rywbeth arall i'w ychwanegu, a doedd dim rhaid aros yn hir am y gweddill.

'Nes i dorri mewn i capal a dwyn pres casgliad hefyd,' meddai.

'Ia,' meddai Saim Bach 'ond dydi hynny ddim byd o'i gymharu efo lladd rywun, paid poeni am hynny am eiliad.'

'Dydw i ddim,' meddai Callum yn rhwystredig, cyn i Saim Bach gael cyfle i orffen ei frawddeg bron. 'Ond mae 'na wbath yn mynd ymlaen sy'n cysylltu y traeth, y lamp a'r dwyn casgliad.' Erbyn hyn, mi oedd pengliniau y tri yn cyffwrdd ei gilydd wrth iddyn nhw eistedd a'u coesau wedi croesi yng ngolau gwan y lloer o flaen y cytiau – pob un wedi closio yn ysu i gael clywed brawddeg nesa Callum.

Mi aeth Babo i'w boced cefn i nôl leitar, baco a phapur i wneud rôl. Wrth iddo rowlio, mi ddechreuodd Callum ei stori am dorri i mewn i'r capel.

'Sgen i ddim syniad pam go iawn, dwi'n meddwl na chwilio am ryw ffordd i wylltio Parry Pregethwr o'n i, ond ar ôl bod yn potshian efo Moi Saim noson blaen, es i am y capal i dorri mewn a nes i benderfynu dwyn pres casgliad.' Wrth i bawb wrando yn fwy astud na wnaethon nhw erioed fel criw yn yr ysgol, mi roddodd Babo rôl i Callum cyn iddo yntau ei thanio, tynnu, goleuo ei wyneb mewn gola baco oren cysurus a chario mlaen.

'Mi ddath 'na rywun arall i mewn, nes i feddwl am eiliad bod hi drosodd, bo fi am gael fy nal.' Mi glywodd y lleill y rhyddhad yn ei ysgyfaint wrth iddo adael cwmwl gwyn o fwg tybaco allan a'i rannu efo gweddill y blaned. 'Mi odd 'na ran ohona fi *am* gael fy nal, am brofi i Parry mod i'r union foi odd o 'di feddwl oeddwn i erioed, ond wedyn dyma fi'n clwad rywun arall yn dod i mewn. Mi odd 'na ddau lais, dau yn siarad efo'i gilydd.' Mi dynnodd ar ei smôc unwaith eto, mi odd pawb erbyn hyn wedi tanio ac yn smocio, fel tae nhw mewn ryw gyfarfod mawr o ryw lwyth brodorol yng Ngogledd America.

'Parry odd un yn bendant, dydi hynny ddim yn syrpréis nachdi? Ond yr ail lais sy 'di chwalu mhen i.' Mi chwythodd y mwg allan yn galed wrth i'r lleill aros am y geiriau nesa fyddai'n dod o du hwnt i'r mwg. 'Mi odd o'n siarad efo Iolo Plisman – siarad efo Iolo Plisman, mewn capal gwag, yn ganol nos.' Ddwedodd neb ddim byd. Mi oedd pawb yn ceisio prosesu y traeth, y lamp, y capel a'r ddau oedd yno a sut goblyn fod yna gysylltiad rhwng yr holl beth.

'Be udon nhw?' oedd y geiriau gafodd eu gwthio drwy'r mwg gan Babo.

'Deud rwbath am fod yn ofalus a Parry yn deud wrth Iolo bod raid iddo fo gadw trefn ar bethau o'i ben o. Ond wedyn, a dyma'r peth mwya cnau, mi roddodd Parry Pregethwr slap i Iolo – rhoi slap iawn iddo fo nes bod y sŵn yn mynd rownd a rownd capal am sbel.' Mi dynnodd pob un ar ei smôc ar yr un pryd – pedwar lwmpyn golau ar draeth ym mhen draw Cymru wledig oedd bellach yn lle llawer iawn mwy tywyll. Doedd dim angen i neb ddweud dim, doedd dim angen i'r un ohonyn nhw esbonio i'r llall bod rhywbeth mawr o'i le. Doedd hi ddim yn gyd-ddigwyddiad bod y beltan yn y capel, y golau ym mhen draw'r traeth a'r corff i gyd wedi digwydd ym Mhorth Milgi ar yr un pryd. Mi oedd meddyliau pawb yn rasio. Mi wnaethon nhw gytuno i gadw llygaid a chlustiau ar agor a chysylltu yn syth os y byddai unrhyw beth dan haul yn mynd â'u sylw. Roedd y criw yn nabod Porth Milgi a Phorth Milgi yn eu hadnabod nhw – doedd dim modd i neb ymddwyn yn wahanol neu geisio cuddio unrhyw beth oddi wrth y pedwar. Doeddan nhw ddim yn gwybod hynny eto, ond y sgwrs oedd newydd fod ynghanol mwg Golden Virginia oedd y sgwrs fyddai'n creu llwybr cwbl newydd trwy ganol Porth Milgi.

18

Pentra

FAINT O NEWID oedd wedi bod ym Mhorth Milgi ers i DI
Yvonne Ashurst adael am borfeydd brasach? Dim llawer a
llawer iawn oedd yr ateb syml. Pentra wedi ei wasgu rhwng
y môr a chefn gwlad amaethyddol Cymru ydi Porth Milgi.
Ardal dlawd iawn yn y gaeaf ac ardal sy'n berwi â chyfoeth yn
yr haf. Doedd hynny fyth am newid. Yn y canol, yn greiddiol
i Borth Milgi am flynyddoedd lawer, oedd y Cymry Cymraeg.
Pan oedd y ditectif yn iau, mi oedd y rheini yn rhannu fwy neu
lai yn ddu a gwyn yn bobol Capel a phobol y Leion. Oedd, mi
oedd modd mynychu'r capel ar fore Sul ar ôl bod yn y Leion
noson gynt, wrth gwrs, ond i'r bobol oedd yn gyfrifol am
gadw'r Sabath, lle i bobol israddol oedd y Leion.

Go brin y byddai hi'n gallu fforddio byw yn y pentra ei
hun erbyn hyn – dim hyd yn oed petai tŷ yng Nghae Gwyn
yn dod ar y farchnad. Nid tai i bobol leol oedd rheini bellach
ond tai oedd wedi eu rhoi yn ôl i'r farchnad rydd. Er bod y
syniad o roi hawl i'r tenantiaid eu prynu nôl yn yr wythdegau
yn syniad da ar bapur, roedd y Cymry Cymraeg ddaeth yn
berchnogion wedi gallu eu gwerthu am filoedd ar filoedd
o bunna. Erbyn hyn, dim ond pobol ddŵad oedd yn gallu
fforddio pris y farchnad a hynny yn golygu diffyg stoc dai i
Gymry lleol. Roedd sawl tŷ yng Nghae Gwyn yn dal ar gael

trwy rent gan y gymdeithas dai neu wedi bod yn yr un teulu ers degawdau a dyna'r unig damaid o'r hen Borth Milgi oedd ar ôl yn ei meddwl hi. Dyna pam roedd Yvonne, fel sawl un arall, yn rhentu fflat yn y dre. Roedd y tai crand i lawr am y traeth i gyd bellach wedi mynd, wrth i bobol hŷn y pentra a'r capel adael yr hen fyd yma a'u plant yng Nghaerdydd eu gwerthu am arian anhygoel – miliynau o bunna mewn rhai achosion. Pentra tywyll ydi Porth Milgi yn y gaeaf sy'n oleuni estron yn yr haf.

Dyna oedd yn mynd trwy feddwl y plismon wrth iddi anelu'r Mondeo ar hyd y ffyrdd oedd yn mynd â hi o ganol y pentra ac am y wlad o'i chwmpas. Tafarn, capel, neuadd bentra, rhyw fath o steshion i'r heddlu a'r tai. Dyna yn syml iawn ydi Porth Milgi. Wrth yrru o'r pentra ac anelu ymhellach am gefn gwlad, cyflenwyr amaethyddol y teulu Davies ar y lôn i Aberddwybont oedd yr unig beth arall fyddai'n cael ei gysylltu â'r lle. O fewn pum milltir i Borth Milgi, mi oedd yna chwe fferm efo trwyddedau shotgyn, a dyna lle'r oedd hi am fynd dros yr oriau nesa. Gan fod y corff wedi ei ddarganfod ar dir amaethyddol yn llawn tyllau peledi o getris, dyma'r lle gorau i ddechrau, ia ddim? Doedd ganddi mewn gwirionedd ddim byd arall y gallai ei wneud.

Dau ddeg chwech oed oedd hi pan ddiflannodd Branwen Williams – digwyddiad ysgwydodd Borth Milgi i'w seiliau. Mae'r digwyddiad wastad wedi bod yno, o dan yr wyneb, dim ond i rywun grafu ryw ychydig. Ond doedd ymchwilio i'w marwolaeth wedi'r holl flynyddoedd ddim yn rhywbeth y byddai wedi ei ddymuno ar yr un plismon. Mae angen bod ar drywydd llofrudd o fewn pedair awr ar hugain yn ôl pob arbenigwr – ond mae yna flynyddoedd bellach rhwng Yvonne a'r digwyddiad. Anobaith oedd yr unig beth yn llenwi'i chalon, a'r unig beth oedd yn llenwi'i phen oedd lle allai hi fynd i gael atebion?

Wrth yrru heibio lle gwerthu ffid y Davies', cofiodd am yr olion esgid – ôl-troed rhywun wedi bod ym mwd y tirlithriad oriau yn unig ers i gorff ddod i'r wyneb. Efallai fod ganddi fwy na'r hyn oedd hi'n feddwl. Efallai bod yn rhaid iddi agor ei meddwl yn hytrach na gadael i gadwyni'r gorffennol ei thynnu i dwll. Cofiodd am ei magwraeth yn y pentra, cofiodd am y sgwrs gafodd efo Kathleen Williams – mam gollodd ei merch yn boenus o ifanc. Mi oedd y cloc wedi stopio yn Hen Felin yr eiliad y daeth hi i'r amlwg fod Branwen ar goll. Mi oedd Porth Milgi yn newid o'i chwmpas. Mi oedd hi'n haeddu atebion. Dyna roddodd ail wynt ym meddyliau DI Yvonne Ashurst wrth iddi droi y Mondeo ynghanol y lôn dawel ac anelu am y lle gwerthu ffid a ffensys. Mi fyddai cael syniad o'r esgid, ydyn nhw'n gwerthu rhai fel yna, ynghyd â mynd i holi ffermwyr shotgyn yr ardal siawns yn gallu cynnig *rhywbeth*. Dyna'r gronyn y cydidodd hi'n dynn ynddo wrth gyrraedd iard Davies & Son.

19

Wapping

Mi ALLWCH CHI arogli, blasu a chyffwrdd yn hanes Llundain a'r Tafwys yn nhafarn The Prospect Of Whitby. Dyma safle y dafarn hynaf ar lan yr afon, lle cafodd sawl troseddwr ei grogi ar grocbren yn ei gardd. Er bod sawl fersiwn o'r dafarn wedi bod ar y safle dros y canrifoedd, does dim modd dianc o'r syniad pwerus o'r oes a fu. Mae'n gafael yn dynn iawn iawn yn ei hanes – mae hyd yn oed aroglau baco o sawl cetyn a smôc yn dal i lynu ar y waliau er nad oes neb wedi cael tanio y tu mewn ers blynyddoedd.

Yn un o'i chorneli tywyll, wrth le tân agored, mae sedd Max Sumner. Nid fod ganddo hawl penodol ar y sedd na'r bwrdd bach crwn o'i blaen ond mae o'n eistedd yno'n blygeiniol bob dydd, fel yr oedd o'n arfer ei wneud pan oedd o'n sgwennwr papur newydd. Mae The Prospect Of Whitby yng nghalon Wapping yn nwyrain Llundain, calon ymerodraeth Rupert Murdoch, ac i bapurau Murdoch roedd Max Sumner yn gweithio am flynyddoedd mawr. Ac er gwaetha sawl sgandal am hacio, tor cyfraith a sawl elfen annymunol arall, mae un o weision mwya ffyddlon Murdoch yn dal i weithio trwy ddirgel ffyrdd ac yn tyrchu am wybodaeth os ydi'r arian yn iawn. Doedd o erioed yn cael ei dalu trwy systemau'r papur newydd – dim ond fel rhywun llawrydd o bryd i'w gilydd. Y gwirionedd ydi, mi oedd o wastad ynghanol y gwaith mwyaf annymunol erioed i'r *News Of The World* a'r *Sun*. Peint, pacad o Pork Scratchings a'r papur newydd – dyna'r unig beth oedd Max Sumner angen ar gyfer ei gynhaliaeth. A hyd heddiw, mae o ar gael i unrhyw wleidydd neu newyddiadurwr sydd am gael eu dwylo yn fudur heb orfod gwneud y gwaith caib a rhaw. A dyna pam ei fod fel estyniad i ddodrefn y Prospect, ei swyddfa answyddogol.

Mi ganodd ei ffôn.

'Hello,' meddai'r Cocni hyderus, a sŵn creithio degawdau y Benson & Hedges wedi naddu weiren bigog i DNA ei lais. 'Ow are ya, ya Welsh sheep shagger?' oedd y geiriau a'r chwerthiniad iach glywodd pawb arall yn y dafarn. Colin Williams oedd ben arall y ffôn.

Efallai mai dim ond 250 o filltiroedd oedd yna rhwng Porth Milgi a Wapping ond roedd y gwahaniaeth go iawn yn cael ei fesur ym maint y bydysawd. Doedd Colin ddim wedi cysgu fawr ddim, ar ôl bod ar ei draed bron drwy'r nos. Dyma'r union fath o stori yr oedd o wedi'i ddychmygu ei hun yn gweithio arni – y boi o hen deulu o bysgotwyr yn rhwydo clamp o stori ac mi oedd o'n benderfynol o fod ar y blaen i bob un newyddiadurwr arall fyddai'n dod i fusnesu yn ei gawell o dros y dyddiau nesaf. Fo oedd y gohebydd lleol, a fyddai yna neb yn bachu stori o Borth Milgi o dan ei drwyn. Fel rhan o'i gwrs hyfforddi i fod yn newyddiadurwr, roedd o wedi dysgu yn gyflym iawn mai torri stori'n gynt na neb arall ydi'r peth gorau y gall rhywun ei wneud. Doedd ganddo fo ddim amynedd efo syniad y BBC o aros i weld be oedd pawb arall yn ei wneud, neu aros i fwy nag un ffynhonnell gadarnhau unrhyw beth. Mi oedd yn well ganddo fo o lawer fyw wrth yr arwyddair 'not wrong for long'. Hynny ydi, dim ots os nad oedd y stori yn dal dŵr – dim ond ei bod wedi ei chyflwyno i'r byd yn gynta. Mi fyddai yna amser i ymddiheuro neu geisio unioni cam rywbryd eto. A 'not wrong for long' ydi'r peth pwysicaf iddo'i ddysgu yn Wapping.

Fel rhan o'i brentisiaeth, mi oedd gofyn mynd am brofiad gwaith. Ar ôl cyflwyno llythyr a mynd am ddau gyfweliad ar y trên i Lundain, mi gafodd Colin Williams ei fachu gan News Corporation. Mi oedd ar ben ei ddigon, felly hefyd ei dad oedd yn brolio yn y Leion bob nos Sadwrn bod ei fab yn sgwennu i'r *Sun*. Bu ond y dim iddo gael cynnig cytundeb ar y diwedd, cymaint oedd yr argraff yr oedd o wedi ei adael ar rai o'r hen hacs, ond mi ffrwydrodd y sgandal clustfeinio ac mi gaewyd y drws ar gyflogi neb newydd am sbel. Mi gafodd llawr yr ystafell newyddion ei sgubo'n lân i gael gwared ar unrhyw ddrewdod amlwg o'r gorffennol – mi oedd rhai o'r newyddiadurwyr mwyaf profiadol, pobol oedd wedi helpu Colin Williams yn arw, wedi gorfod gadael y nyth. Yr unig gyswllt ar ôl ganddo oedd Max Sumner.

Amau oedd Colin fod Max yn gweld ei hun yn y Cymro ifanc. O deulu dosbarth gweithiol oedd Max hefyd, yn dibynnu ar lwc y dydd fel yr oedd tad Colin yn dibynnu ar lwc y dyfroedd i roi bwyd ar y bwrdd. Be bynnag y rheswm, mi oedd yn ddigon hyderus i ffonio'r Llundeiniwr ar ôl pendroni be fyddai ei gamau nesa. Mi roddodd ochenaid o ryddhad o glywed y llais yn y dafarn yn ei alw yn garwr defaid.

Gan fod sgwrs yn holi am y tywydd neu ffwtbol yn wastraff llwyr o amser efo Max, mi aeth Colin ati'n syth i ebsonio'r sefyllfa. Y storm, y traeth, y corff a'r holl hanes. Wrth iddo esbonio popeth, mi oedd Max Sumner yn teipio i mewn i'r laptop o'i flaen. Doedd hwn ddim yn laptop arferol – mi oedd hwn yn agor sawl drws y tu mewn i sawl tŵr eifori o'r

Sefydliad Prydeinig. Un o'r goriadau oedd gan Sumner yn ei feddiant oedd y cyfrinair i agor Bas Data Troseddwyr Rhyw Heddluoedd Prydain. Doedd dim yn dod i'r fei pan roddodd enw'r sir a blwyddyn diflaniad Branwen Williams i mewn. Doedd o ddim wedi deall yr enw, cyfres o lythrennau oedd o wedi eu clywed, a doedd ei henw hi ddim yn bwysig iddo p'run bynnag. Ar ôl llwyddo i deipio Gwynedd i mewn yn llwyddiannus, daeth degau o enwau i'r amlwg – enwau dynion ar y Gofrestr Troseddwyr Rhyw oedd wedi eu symud i sawl ardal wledig a sawl tref glan môr yn y sir er mwyn dechrau bywyd newydd. Dyma'r math o lefydd yn union lle'r oeddan nhw'n cael eu gweld fel bod yn llai o risg, felly mi oedd y rhwyd wedi ei thaflu yn rhy eang i fachu unrhyw beth pendant.

'Never mind,' meddai Colin, 'cheers Max, it was worth a sho…' ond cyn iddo orffen ei frawddeg, mi ddwynodd Max Sumner ddiwedd ei frawddeg.

'Shut up you dumb Welsh cake, haven't I taught you anything? If at first you don't succeed and all that bollocks… Now slowly, spell out the name, all those weird letters you have, of the exact place where this body popped up.'

Ar ôl cryn funudau o roi pob llythyren yn eu trefn 'P-O-R-TH' (mi oedd hi'n rhai eiliadau o wneud y sŵn ac esbonio y T a'r H yn fan hyn) 'second word – M-I-L-G-I', mi aeth y ffôn yn dawel.

'Heeeeeeeeeeeeeello,' meddai Max. 'Oh my friend,' meddai'r llais o'r Prospect Of Whitby, 'today is your lucky day.' Mi oedd y cyffro yn cynyddu yn llais Max Sumner. Er nad oedd y stori a'r sefyllfa yn ddim oll i'w wneud ag o, mi oedd o'n dal i feddwi ar y pŵer a'r gallu oedd ganddo i hela mewn sawl twll budur a chael atebion, a doedd dim ots ganddo am eiliad na fyddai'r wybodaeth yn rhoi bwyd ar y bwrdd iddo'r tro yma.

'The only, and I mean the *only* pervert's name on the book of doom and gloom with a registered address in that God forsaken place you've just given me is... Morris Edward Thomas who was a very naughty boy in Folkstone back in 1978.'

Distawrwydd. Mi oedd Colin yn fud.

'Hello?' meddai Max.

'Thank you,' meddai Colin a rhoi'r ffôn i lawr. Dyma oedd Colin am fod, newyddiadurwr â'i wialen ymhell ar y blaen i un pawb arall. Gwneud enw iddo'i hun, dim ots sut, a symud ymlaen i allu cael gyrfa fel dyn newyddion go iawn er mwyn gallu ffarwelio â Phorth Milgi unwaith ac am byth. Ond chafodd o ddim pleser o glywed yr enw. Doedd o ddim yn teimlo yr un wefr â Max Sumner ben arall y ffôn. Mi oedd yr enw yn atseinio yn ei glust – Morris Edward Thomas. Am ryw reswm naïf, doedd o ddim wedi ystyried am eiliad y byddai'n clywed enw rhywun oedd yn rhan o DNA Porth Milgi. Rhywun oedd yn rhan o'i blentyndod, rhywun na fyddai wedi gallu anafu neb, siawns? Ond mi oedd yr enw ar y sgrin o flaen Max Sumner wedi nodi'n glir, 'Morris Edward Thomas'. Neu i Colin a phawb arall ym Mhorth Milgi: Moi Saim.

20

Kelly

'Ti'n iawn, Callum?' Doedd dim raid i Callum edrych dros ei ysgwydd i wybod mai Kelly Owen oedd yn cerdded y tu ôl iddo. Mi oedd y ddau wedi cerdded i mewn i Stad Cae Gwyn filoedd o weithiau efo'i gilydd siŵr o fod.

'Hei, sud wt?' meddai Callum gan stopio yn ei unfan a throi i wynebu un o'i ffrindiau gorau. Ond doedd hi ddim yno, cwmwl mawr o fwg gwyn oedd yr unig beth welai Callum lle dylai ei phen hi fod.

'O, dim y chdi hefyd' meddai Callum wrth i Kelly gyrraedd wrth ei ochr a chario mlaen i gerdded.

'Be ti'n feddwl o hwn, ta?' meddai, 'Cinnamon and pear di'r blas yma.' Doedd Callum ddim yn gweld o gwbl be oedd yr holl ffys am y fêps drewllyd oedd pawb yn eu cario erbyn hyn. Doedd y blas ddim byd tebyg i'r hyn oedd ar y paced ac mi oedd y cwmwl mawr gwyn a'i aroglau melys-stêl yn ei gyfogi.

'Damia chdi. Well gen i ogla baco go iawn,' meddai Callum cyn iddi hithau chwerthin.

'Cal, ti heb newid dim!' Rhoddodd ei braich trwy'i fraich o. Mi oeddan nhw'n cydgerdded yn berffaith i rythm ei gilydd.

Yn ei ben, mi oedd Callum am ddweud, tithau heb newid dim chwaith, ond celwydd noeth fyddai hynny. Doedd dim modd cymharu Kelly Owen o flwyddyn yn ôl â'r Kelly oedd yn sownd i'w fraich rŵan. Brown euraidd fel gwenith oedd lliw gwallt Kelly erioed ond ryw felyn potal oedd o erbyn hyn. Mi oedd ei gwefusau yr un siâp yn union â'r gwefusau da-da pick 'n' mix, ei thrwyn yn smwt ac yn ffitio'i hwyneb yn berffaith a'i gên wedi'i naddu gan gerflunydd o fri. Y lipstic coch, tew a'r glas o amgylch ei llygaid a rhyw bowdwr sych o golur ar ei hwyneb – dyna oedd Callum yn weld yn ddiangen. Mi oedd hi'n berffaith cynt. A'i llygaid glas golau clir oedd y peth mwya trawiadol. Mae Callum yn cofio fel petae'n ddoe cael mynd i Gwm Pennant ar drip ysgol gynradd. Mae'n cofio syllu i ddŵr Afon Dwyfor yn nefoedd y fan honno ar ddiwrnod braf o haf, ac edrych wedyn ar lygaid Kelly a meddwl o ddifri am eiliad bod ei llygaid wedi sugno'r afon. Mi oedd y ddau yr union yr un lliw, y diwrnod hwnnw, a hyd heddiw. Dau funud. Ai dweud wrtho'i hun fod ganddo deimladau tuag ati oedd o fan hyn?

Wrth i'r holl bethau yma ruthro drwy'i ben, mi ddaeth llais Kelly drwy gymylau ei feddyliau.

'Am be ti'n feddwl?'

'O sori, dim, jyst sbio arna chdi a gweld dy fecyp di a meddwl...' ond mi dorrodd ar ei draws.

'Hei, paid â bod yn *cheeky*, gin i hawl i wisgo mecyp!' Mi ddaeth y frawddeg o ganol y mwg trwchus gwyn yn siort a phendant, gan orfodi Callum i gymryd cam gwag, cyn sadio ei hun, teimlo ei wyneb yn fflamgoch a cheisio cael trefn ar eiriau.

'Naci, na... dim hynny, gwbod fod gin ti hawl, a corff chdi ydi o, a... ti gwbo, wel, ia... na, dim mod i isho swnio fatha jwg hen ffaswin, dwisho... nag oes, ti'n gwbod be dwi'n feddwl.' Chwerthin yn uchel wnaeth Kelly, cyn i'w ffôn wneud sŵn o boced ei chôt yn dweud fod ganddi hi decst. Mi afaelodd yn yr i-phone efo'r sgrin fwya un, edrych ar y neges, diffodd y sgrin cyn ei rhoi yn ôl yn ei chôt. Mi ddigwyddodd rhywbeth yn yr eiliadau yna. Mi ddiflannodd yr hwyl o'i llygid a'r direidi o'i cherddediad.

'Ti'n iawn?' holodd Callum.

'Yndw,' oedd yr ateb cwta ddaeth yn ôl.

'Sori,' meddai hi wedyn, cyn tynnu cegiad go lew o'r potyn baco-dŵr babïaidd yn ei llaw.

'Ti 'di cael ffôn newydd?' meddai Callum wrth nesáu at giât y tŷ.

'Do, dwi jyst yn gneud chydig o bethau i gael chydig o bres, Cal. Dydi petha ddim yn hawdd adra ers i dad ddisgyn o ben yr ystol 'na a ma mam 'di gorfod stopio llnau i edrych ar i ôl o. Raid i fi ffendio ffor i adael y twll ma, dwi am fynd i colij a gwneud wbath ohoni ond dwi angan cash dydw? Ma mam a dad angan y cash, a sna ddim llawer o lefydd ffordd hyn sy'n talu pres da, felly tim'bo...' Mi aeth diwedd y frawddeg bron yn sibrwd ganddi. Doedd gan Callum ddim awydd sefyll o flaen ei dŷ yn y distawrwydd, a doedd o ddim awydd gweld Kelly yn mynd, felly mi feddyliodd am y peth cynta ddaeth i'w ben.

'Dwi wrth fy modd efo mam a dad chdi.' Mi chwerthodd Kelly yn uchel ac mi oedd Callum yn teimlo fel ei fod wedi ennill y byd ac mi oedd popeth yn iawn unwaith eto.

'Dwi'n gwbod, a er bod petha ddim yn hawdd, ma'r ddau yn lyfio'i gilydd trw bob dim a dyna sy'n cadw fi fynd a dyna pam dwi'n trio helpu, tigwbo?'

Pobol dda oedd Mr a Mrs Owen nymbyr twenti-êt. Doedd dim byd yn ormod o drafferth byth ac mi oedd yna groeso i bawb yno bob tro. Peintiwr oedd Keith Owen ac Olwen yn arfer llnau yn yr ysgol. Mi oedd y ddau wedi rhoi pob dim, eu holl gariad a'u ceiniogau i wneud yn siŵr na fyddai eu hunig blentyn yn anhapus am eiliad yn ei bywyd. Mae rhai o atgofion clir cyntaf Callum y tu mewn i twenti-êt Stad Cae Gwyn. Gan fod ei fam yn gweithio sawl job ar yr un pryd ers erioed, mi oedd Mrs Owen wastad yn rhoi croeso iddo fo a Carl ei frawd pryd bynnag oedd angen hynny. Cacennau, brechdanau, cariad. Chwarae doliau efo Kelly, chwarae ffwtbol yn yr ardd gefn efo Keith os oedd o adra yn gynnar o ryw joban. Chwerthin a gwylio teledu, byw a bod. Da oedd twenti-êt. Er fod Callum yn gwybod fod Keith wedi cael uffar o ddamwain wrth baentio, doedd o ddim wedi sylweddoli pa mor ddrwg oedd pethau iddyn nhw'n ddiweddar.

'Hei', meddai Kelly, 'dwi am fynd adra rŵan, ond mae'n dda siarad a gweld chdi eto, Cal. Pam ti byth yn stafell y chweched? Dwi'm yn gweld chdi yn fan'na o gwbl.'

'Dydi o ddim yn lle i fi, ti'n gwbod hynny,' meddai Callum wrth i'r ddau rŵan ddawnsio rhwng y cyfnod yna o fod wedi penderfynu ffarwelio ond eto ddim cweit wedi gwneud hynny.

'Reit dwi am fy…'

'Sud ma Babo a Saim Bach?' Dwy frawddeg yn cael eu hyngan ar yr un pryd, ac mi ddaeth yna chwerthin dau hen gyfaill i atsain o gwmpas y stad.

'Iawn diolch,' meddai Callum ar ôl y chwerthin, 'dan ni'n cyfarfod reit amal wrth y cytiau lan môr am sesiwn falu cachu a smôc, sdi,' ac mi gododd hynny andros o wên ar Kelly ac mi oleuodd llygid Cwm Pennant gan danio calon Callum i gêr uwch.

'Gawn ni neud hynna nos Sadwrn?' holodd Kelly, 'Cyfarfod wrth y cytiau, dim ond chdi a fi?' Os oedd pen Callum yn troi ar ôl y munudau aeth heibio, mi oedd o'n chwil-droi erbyn hyn.

'Ym, ia iawn, dwi meddwl, bysa, iawn… yndw, oes, bendant, oes… ia oes… ia iawn,' oedd ei ateb. Chwerthin wnaeth Kelly, troi am y tŷ, sugno'r afiachbeth a chwythu cwmwl mawr iawn o'i chwmpas cyn gweiddi ar ei hôl.

'Wela'i di nos Sadwrn, Cal.'

Troi wnaeth Callum hefyd, trwy'r giât yr oedd o wedi ei hagor ers blynyddoedd ac i lawr y llwybr. Ond dyma'r tro cyntaf iddo wneud hynny efo'r teimladau newydd yma yn rhuthro trwy bob modfedd o'i fod. Oedd hi'n ei ffansïo fo? Oedd ei wallt o'n edrych yn ok? Oedd o wedi llnau ei ddannedd y bore hwnnw? Oedd Kelly wedi sylwi ei fod o wedi cochi? Oedd hi'n flin bod o ddim yn licio'i mecyp hi? A ddylai o anghofio'r baco go iawn a dechrau fepio ogla neis fel Kelly? Be oedd o am wisgo nos Sadwrn? Dyma'r degau o bethau oedd yn nofio trwy'i ben rhwng y giât a mynd ar hyd y llwybr i lawr heibio talcen y tŷ, cyn iddo agor y drws cefn ac i mewn â fo. Ond unwaith y caeodd y drws ar ei ôl, mi ddaeth yna gwestiynau eraill i lenwi ei ben. Lle goblyn oedd Kelly yn cael pres felly? Oedd hi 'di cael job er mwyn helpu Keith ac Olwen? A be am y ffôn? Ffôn oedd siŵr o fod yn costio o leia bum can punt.

Ta waeth, mi wthiodd Callum y pethau yna o'r neilltu cyn cerdded at y ffrij i chwilio am ddiod oer a rhywbeth i'w fwyta. Er, doedd o ddim yn siŵr y gallai ei stumog handlo dim gwerth o fwyd gan ei fod yn glymau i gyd a'r union glymau yna oedd yn bwydo'r wên oedd ar ei wyneb.

Gwên. Mi gofiodd wedyn bod un Kelly wedi diflannu yn ystod y sgwrs pan ganodd ei ffôn newydd sbon danlli. Unwaith eto, mi ddiflannodd pob dim o ben Callum a'r unig gwestiwn ganddo ar ôl oedd pwy ddiawl oedd ar ben arall y negas tecst yna?

Cae Garw

Rhoddodd Ashurst y ffôn i lawr ar y Dr Peter Guard yn yr orsaf ar ôl derbyn cadarnhad fforensig mai corff Branwen oedd wedi dod i'r fei. Ar ôl hynny, mi gysylltodd efo prifathro'r ysgol i rannu'r newyddion oedd yn dew ar wefusau lleol. Roedd hi bellach yn y car ar y ffordd i'w weld.

Rhyw wyth milltir ydi'r pellter rhwng Porth Milgi a'r dre, ar lôn yn glynu efo'r arfordir. Ar wahân i chydig o ffermydd ac ambell barc carafannu, bach a mawr, doedd dim pentra yng ngwir ystyr y gair ar hyd y ffordd. Mi oedd yna dai wedi eu hadeiladu o gwmpas ardal oedd â mynediad i draeth, ond dim mwy na hynny. Ynghanol hynny wedyn, mi oedd rhywun ryw dro wedi penderfynu adeiladu Ysgol Cae Garw. Doedd dim rhaid rhoi Ysgol Gyfun Gymraeg Cae Garw fel enw llawn pan gafodd ei sefydlu – mi oedd hi'n amlwg mai Cymraeg fyddai iaith gyntaf a phrif iaith unrhyw ysgol mewn ardal o'r fath. Ond efallai ei bod hi'n bryd ailystyried hynny o gofio y newid mawr oedd yn digwydd i frethyn yr ardal erbyn hyn. Mi fyddai pobol yn symud i fyw yn yr ardal, yn llythrennol yn prynu tŷ a chodi pac o Fanceinion neu Birmingham, a chyrraedd yr ysgol i gyfarfod y prifathro. Yn aml iawn, yn ystod y cyfarfod, byddai rhai ohonyn nhw yn colli limpyn o ddeall mai Cymraeg oedd y brif iaith. Iddyn nhw roedd y peth yn hollol hurt a gwarthus a byddai'n gwneud niwed di-ben-draw i ddyfodol ac addysg eu plentyn nhw.

Wrth i'w Mondeo ddilyn y lôn am yr ysgol, caeau gwyrddion i'r dde ohoni a'r môr i'w weld fel grisial ar ddiwrnod hydrefol clir trwy ffenest y car, mi oedd Yvonne Ashurst yn meddwl am ei chyfnod hi fel disgybl yn Ysgol Cae Garw. Doedd hi ddim yn malio llawer am fynd i'r ysgol. Doedd hi ddim wedi casáu y lle ond doedd hi ddim chwaith wedi cael modd i fyw. Mi oedd hi wedi gwneud digon i gael y graddau oedd eu hangen yn y chweched i fynd ymlaen i Academi Heddlu'r Met yn Llundain ac felly doedd dim ots am ddim byd arall. Y tu hwnt i wersi, mi oedd hi wedi bod â chylch iach iawn o ffrindiau. Oherwydd lleoliad Cae Garw rhwng y wlad a'r dref, mi oedd yna amrywiaeth o blant yn cyrraedd ar y bysiau bob dydd. O feibion ffermydd i blant cyfreithwyr, o blant gyrwyr bysiau i anwyliaid meddygon. Doedd neb yn well nac yn waeth na'i gilydd mewn ardal fel hon, mi oedd pawb yr un fath ac mi feddyliodd Yvonne Ashurst mai'r rheswm am hynny oedd y Gymraeg siŵr o fod – yr un peth oedd yn cysylltu pawb.

Mi barciodd ei char ar y ffordd y tu allan i'r brif fynedfa, agor y drws a'i gloi cyn dechrau cerdded am y dderbynfa. Roedd y llwybr a oedd unwaith mor gyfarwydd yn chwarae triciau efo'r meddwl – rhyw deimlad bod yr Yvonne Ashurst pedair ar ddeg oed bellach yn edrych ar Yvonne Ashurst y ddynes yn gwneud y daith o uwch ei phen yn rhywle. Wrth ddringo'r grisiau at y chwech drws dwbl mawr, mi darodd yr aroglau cyfarwydd ei ffroenau – yr aroglau blîtsh wedi ei gymysgu efo aroglau chips y cantîn. Mi fyddai rhywun yn hawdd yn gallu meddwi ar yr aroglau yma meddyliodd wrthi ei hun.

Canodd y gloch, edrychodd ar y camera uwch ei phen,

clywodd y sŵn ac mi agorodd un o'r drysau. Mi gafodd ei llorio gan y tawelwch. Yn ei hatgofion, roedd y rhan yma o'r ysgol wastad yn lle llawn, prysur. Plant yn mynd i'w gwersi o'r man canol yma ar hyd y tri córidor oedd yn ei hamgylchynu rŵan – yr un hir yn syth o'i blaen a'r ddau arall i'r chwith ac i'r dde ohoni. Doedd dim wedi newid. Dim byd. Mi oedd y paent ar y waliau yr un lliw, mi oedd y loceri i lawr ochr y coridorau yr un rhai (er eu bod wedi eu tolcio a'u crafu i dristwch gan sawl dwrn a bag ysgol yn cael eu taflu atynt) a doedd fawr ddim wedi newid yn y gornel lwyddiant. Hon ydi'r gornel ymhob ysgol lle mae'r rheini sydd wedi llwyddo yn y byd chwaraeon yn cael eu lluniau a'u medalau wedi eu dangos i bawb. O edrych yn gyflym ar y gornel, tenau iawn oedd yr achosion dathlu yn y blynyddoedd a fu. Efallai bod yna ddau lun newydd ac un gwpan wedi ei hychwanegu ers i Yvonne adael, ond dim mwy na hynny.

Wedi'r eiliadau o oedi, trodd i'r chwith. Mi oedd hi wedi trefnu i gyrraedd yn ystod gwersi, i wneud yn siŵr bod y disgyblion i gyd yn eu dosbarthiadau. Ar y chwith, ryw chydig o fetrau i lawr y córidor, roedd ffenstr yr ysgrifenyddes ac ystafell y prifathro y tu ôl i'r dderbynfa.

Yn ei chyfnod hi, wyneb clên a chyfarwydd Mrs Williams Isfryn fyddai wedi llenwi'r gwydr o'i blaen, ond nid bellach. Mi bwysodd y gloch a disgwyl i'r ddynes oedd yn eistedd y tu ôl i'w desg godi ac agor y gwydr i'w chyfarch, yn union fel y byddai Mrs Williams wedi'i wneud. Ond yn hytrach na gwên yn llenwi'r gwydr, 'Ia, be dach chi isho?' glywodd DI Ashurst o enau'r ddynes gron, gwallt du. Chafodd hi ddim golwg ar ei hwyneb – wnaeth hi ddim trafferthu symud ei gwddw chwe modfedd i un ochr o du ôl i'w chyfrifiadur i roi hynny iddi hyd yn oed. Ond cyn iddi gael cyfle i'w hateb, mi glywodd lais yn pwyso allan o ddrws agored. Y tro yma, mi oedd hi'n gweld y pen ond nid y corff.

'Ffordd hyn,' meddai'r pen moel, gan daflu'r pen hwnnw i'r dde i annog y ditectif i'w ddilyn i mewn i ystafell, ystafell oedd yn gyfarwydd i Yvonne fel ystafell y prifathro. Mi ddiflannodd y pen ac mi aeth Yvonne am y drws agored gan ddyfalu mai'r dyn oedd wedi ei agor oedd Dewi Reynolds, pennaeth yr ysgol ers oddeutu pedair blynedd. Ar lawr gwlad, mi oedd Yvonne yn gwybod mai Dewi Pyrfyrt oedd ei lysenw – bod yna ryw stori wedi cydio ymysg y plant ei fod yn ddyn oedd wrth ei fodd yn edrych ar ferched mewn rhyw ffordd oedd yn eu gwneud yn annifyr. Doedd gan y ditectif ddim clem sut gyfarfod oedd hi am ei gael, ond ar ôl ei thaith ofer i'r ffermydd oedd â thrwyddedau shotgyn a'r cadarnhad nad oedd yr esgid welwyd yn y pridd wedi ei gwerthu yn lle Davies & Son, mi oedd hi angen gronyn o help llaw o rywle.

'Dewi Reynolds,' meddai'r dyn moel, tal, main o'i blaen a'i law allan yn barod i groesawu un Yvonne. Mi ysgwydodd ei law a chyflwyno ei hun.

'DI Yvonne Ashurst, diolch am y croeso.'

'A dwi'n siŵr eich bod chi'n adnabod ein hathro Cemeg, Cen Lewis a phennaeth merched TGAU a Safon Uwch yr ysgol, Louise Ellis.' Mi oedd y ddau yn eistedd ar y soffa i'r dde o Yvonne a'r haul yn tywynnu ar wynebau nad oedd hi wedi eu gweld ers gadael Ysgol Cae Garw.

'O, Yvonne, mae'i mor braf dy weld di,' meddai Miss Ellis wrth godi ar ei thraed a chynnig ei llaw. Yng ngolau'r haul, mi fyddai Yvonne yn taeru nad oedd hi wedi heneiddio dim.

'Diolch,' meddai Yvonne, cyn edrych dros ei hysgwydd ar Cen Cem. Wnaeth hwnnw ddim codi o'r soffa, dim ond yngan 'helô' o du ôl i'w sbectol pot jam – a dweud y gwir wnaeth o fawr o ymdrech i godi ei ben o gwbl fel petae o'n canolbwyntio ar y sandals am ei draed. Os nad oedd Louise Ellis wedi newid dim, yna'n bendant doedd dillad melfaréd a tanc tops Cen Cem ddim, meddyliodd Yvonne wrthi ei hun.

'Steddwch,' meddai Dewi Reynolds o du ôl i'w ddesg.

'Fydda'i ddim yn hir,' atebodd Ashurst. 'Diolch am gytuno i nghyfarfod i ar fyr rybudd,' ychwanegodd.

'Dim o gwbl,' meddai'r pennaeth, 'ond dydw i ddim yn siŵr sut y gall Ysgol Cae Garw helpu, felly dyna pam nes i ofyn i'r ddau athro sydd wedi bod yma ers yr amser hira i ymuno efo ni heddiw i wneud be bynnag allwn ni.' Mi edrychodd y ditectif yn ôl tua'r soffa unwaith eto.

'Mae'n sefyllfa ofnadwy o drist' meddai Miss Ellis, a deigryn yn cronni yn ei llygad chwith. 'Branwen druan, un o'r bobol ifanc ddisglair rheini sy'n aros yn y co,' ychwanegodd.

'Mi oeddach chi'n ei nabod yn dda siŵr o fod, fel pennaeth y merched a Branwen ym mlwyddyn deuddeg ar y pryd?' Edrychodd Louise Ellis drwy ffenestr yr ystafell, cyn troi i ateb y cwestiwn.

'O'n, mae gwarchod a meithrin y merched ifanc yma trwy gyfnod o newidiadau yn eu bywydau yn ddyletswydd a chyfrifoldeb. Mi oedd pen Branwen yn llawn breuddwydion am fynd i'r coleg a gweld y byd, fel sawl un arall. Doedd dim am ei rhwystro hi – sy'n golygu fod hyn oll yn fwy o sioc.' Mi stopiodd i gymryd ei hanadl ac mi adawodd Ashurst i'r distawrwydd anadlu am ychydig.

'Dwi'n gwybod bod yna flynyddoedd mawr ers iddi ddiflannu, ond oes yna unrhyw beth am Branwen a'r cyfnod yna allai fod o gymorth i ni?'

'Oedd pawb yn licio Branwen, hogan yn llawn hyder a'r genethod a'r bechgyn yn cael eu denu at hynny.' Cen Cem atebodd y tro yma, cyn i Lousie Ellis edrych draw tuag ato a chario ymlaen.

'Wel, dyna sy'n braf i rai wrth dyfu i fyny, mae yna rai yn gallu bod yn ffrind i bawb a'u hyder yn golygu bod pobol yn cael eu denu atyn nhw. Y bobol fwya poblogaidd, mae yna rai ymhob blwyddyn, ymhob ysgol – dydi hynny yn ddim byd newydd i neb wrth gwrs.' Distawrwydd eto. Doedd y sgwrs yma ddim yn llifo fel y byddai DI Yvonne Ashurst wedi'i ddisgwyl.

'Unrhyw beth arall?' gofynnodd, gan anelu'i chwestiwn at Cen Cem y tro yma, ond wnaeth hwnnw ddim sylwi gan ei fod yn dal i edrych ar ei sandals, ei ben yn ei blu go iawn. Mi gafodd bwniad yn ei ochr gan benelin Louise Parry.

'Mmmmm, na, dim byd... lot o amser yn ôl. Anodd cofio pawb sydd wedi dod trwy'r drysau,' oedd yr ateb ddaeth o drwmgwsg yr athro cemeg. Mi gododd Louise Ellis a gwenu ar Yvonne yn union fel yr oedd hi'n ei wneud yr holl flynyddoedd yna yn ôl.

'Wel, diolch i chi am ddod,' meddai Dewi Reynolds, gan godi o du ôl i'w ddesg gan dybio bod y sgwrs wedi dod i ben. Ac mi oedd hi. Allai Yvonne Ashurst ddim meddwl am ddim byd arall i'w ofyn ac mi ddiolchodd i bawb gan ddweud ei bod yn ddigon cyfarwydd â'r adeilad i gerdded yn ôl i'w char ei hun.

Wrth gerdded yn ôl am y Mondeo, doedd rhywbeth ddim yn iawn. Be ddigwyddodd yn ystafell y pennaeth yn y munudau aeth heibio, dybed? Doedd y sgwrs ddim wedi llifo ac mi oedd hi'n teimlo bod eliffant o ryw fath yno nad oedd hi'n gallu ei weld.

Yntau oedd yna? Nag oedd, siŵr o fod – mynd yn ôl i le oedd yn gyfarwydd iawn yn ei hisymwybod, lle oedd yn gyfarwydd o ddiarth iddi bellach oedd y rheswm bod yna ryw deimlad peth'ma o gwmpas yr holl ymweliad. Hynny a'r ffaith ei bod mewn stafell efo dau nad oedd hi wedi eu gweld ers blynyddoedd. Gwthiodd y teimlad i'r neilltu wrth danio injian y Mondeo.

22

Iolo

CHWYSU CHWYS OER oedd PC 7219 yng ngorsaf heddlu Porth Milgi. Fyth ers y noson honno yn y Capel, mi oedd Iolo Plismon yn gwybod mai arna fo y byddai'r holl bwysau i guddio, tacluso a thwtio. Yr un oedd y stori ers blynyddoedd. Ci bach mewn siwt oedd eto i fagu asgwrn cefn.

Yn eistedd yn yr unig gadair y tu ôl i'r unig ddesg a'i draed i fyny, doedd y llinyn trôns chwe throedfedd o dal heb ei helmed ddim wedi cysgu'n iawn ers y sgwrs rhwng y seddi pren. Mi oedd yr awydd i gau llygaid a phendwmpian am chydig yn demtasiwn anhygoel o gryf. Petai ond yn cael y cyfle am awran, tra roedd DI Yvonne Pwysig yn yr ysgol, mae'n siŵr y byddai pethau'n gliriach o lawer yn ei ben erbyn hynny. Dyna oedd un llais yn ei ben yn ei ddweud, tra roedd y llais arall yn symud ei lygaid tuag at y goriadau oedd ar y ddesg. Mi oedd yna wastad ddwy set o oriadau i'r orsaf – un yn cael ei chadw yng ngorsaf y dref a'r llall gan Iolo ei hun. Am y tro, mi oedd Ashurst wedi cael y rhai o'r dre fel ei bod yn cael mynd a dod heb orfod dibynnu ar Iolo.

Y goriad lleia ar gylch o bump o oriadau oedd yn denu sylw yr ail lais ym mhen Iolo. Dyma'r goriad oedd yn agor y drôr gwaelod i'r ddesg. Dim ond un peth oedd yn y drôr hwnnw sef potel o Tennessee Jack, fersiwn rad iawn o un o'r wisgis gorau yn y byd. Ond doedd dim ots – yr effaith ac nid y blas oedd yr unig beth pwysig i Iolo. Erbyn hyn, mi oedd y goriad ei hun yn dechrau siarad efo'r plismon, yn ei annog i agor y drôr a'i drysor.

A dyna wnaeth o, taflu ei goesau oddi ar y ddesg i'r chwith iddo, gafael yn y goriad, agor y drôr, estyn y botel a chymryd swig hegar a meddylgar o'i chorn gwddf ac i lawr ei un yntau. Rhyddhad. Mi darodd y gwenwyn gefn ei gorn clag gan ymestyn yn gyflym iawn ar hyd pob pibell waed a gwythïen o'i gorun i'w sawdl. Chwifiodd ei draed yn ôl ar y ddesg ac eistedd yn ôl yn y gadair unwaith eto, y tro yma yn gafael yn dynn iawn yn ei ffrind gorau – yr unig ffrind go iawn a oedd ganddo yn y byd. Llowciodd gegiad arall o'i ffrind a theimlo ton arall yn llosgi haen arall oddi ar ei iau a'i enaid. Edrychodd ar label cefn potel y Tennessee Jack a chwerthin yn uchel – MADE IN GERMANY. Doniol. Un arall fyddai wedi chwerthin petai hi yno oedd Mair.

Tennessee Jack a'i debyg oedd wedi mynd â lle Mair. Mair oedd yr unig beth da ym mywyd Iolo – y ddau yn gariadon yn Ysgol Cae Garw a'r ddau yn priodi yn fuan ar ôl gadael. Prynu tŷ a chael dau o blant. Iolo yn blismon a Mair yn gweithio yn y banc yn dre. Be arall oedd dyn ei angen? Perffeithrwydd. Caeodd Iolo ei lygaid a chloi ei wefusau am wddf Jack unwaith eto – mi fyddai wedi gwneud unrhyw beth i'w cloi nhw ar rai Mair. Wrth geisio mynd ati i sicrhau'r gorau iddi hi ac i'r plant, dyna sut aeth pethau o chwith. O, nid ei fai oedd pob dim mewn gwirionedd, naci? Mi oedd o'n ystyried y cwestiwn yn ei ben yn galed iawn wrth i ragor o'r Tennessee Jack agor y tyllau bach ar ei dafod led y pen.

Pres, arian, cash, punnoedd. Dyna'r unig beth oedd wedi denu Iolo at y sefyllfa. Y Cadeirydd oedd wedi postio llythyr trwy ddrws yr orsaf, yn gofyn iddo gadw pethau'n dawel. Cadw be yn dawel oedd y cwestiwn? Wel, unrhyw beth allai ddod â chwmwl du uwchben Porth Milgi oedd yr ateb yn y llythyr. Os oedd yna unrhyw beth amheus, unrhyw beth yn pryderu Iolo, dim ond cadw'r holl beth yn dawel oedd angen iddo'i wneud. Doedd Iolo yn dal ddim cweit yn siŵr be oedd hynny'n olygu. Ond ar lawr yr orsaf, wrth y drws rhyw fore'r wythnos wedyn, wedi'i wthio trwy'r blwch post unwaith eto oedd yr amlen newidiodd bopeth. Pum can punt mewn arian parod a'r neges syml:

GAN Y CADEIRYDD, COFIA DI AMDANON NI, AC MI WELI DI FWY O AMLENNI TEBYG.

A dyna ni. Dim mwy na hynny. Gwych. Mi gafodd Iolo, Mair a'r plant wyliau yn Sbaen mewn gwesty gweddol grand a llond trol o hwyl o amgylch y pwll nofio am wythnos. Wnaeth Mair ddim holi'n galed iawn am sut yn union oeddan nhw'n gallu fforddio'r gwyliau – mi oedd hi'n falch iawn o'r amser efo'r teulu ac mi ychwanegodd hynny at y teimlad fod yr holl beth yn iawn. Y teimlad bod yr holl beth yn normal. Mi ddaeth yna amlen arall ymhen hir a hwyr ac mi brynodd Iolo gar newydd i'r teulu. Ac yna un arall, a dalodd am ailbaentio'r tŷ ac addurno stafelloedd gwely'r plant. Am yr ychydig fisoedd rheini, blwyddyn efallai, roedd bywyd yn berffaith. Toc wedi hynny y disgynnodd y geiniog.

Tad a merch ddagreuol o'r dre ddaeth i mewn i'r orsaf heddlu yn gyntaf, yr holl flynyddoedd yn ôl. Mi oedd ei ferch wedi cael ei hudo i ryw stafell dywyll yn llawn dynion nad oedd modd adnabod eu hwynebau cyn iddyn nhw gael eu ffordd. Mi wnaethon nhw ofyn iddi ddawnsio ar y dechrau, cyn gofyn iddi dynnu ei dillad ynghanol y llawr. Mi oedd hi wedyn yn cael ei hannog i fynd yn nes at y lleisiau yn y tywyllwch, cyn iddyn nhw wneud pethau na fyddai'r un tad am i'w ferch fynd drwyddyn nhw.

Cau ei lygaid yn dynn a gadael i'r dagrau lifo wnaeth Iolo wrth gofio'n ôl, cyn cymryd swig arall o'r wisgi i geisio diffodd fflamau'r euogrwydd oedd yn bygwth ei anfon dros y dibyn. Wrth sgwennu ar bapur adroddiad swyddogol yr heddlu, yn gwrando ar y boen yn llifo o'r tad, mi oedd Iolo yn gwybod na fyddai'r adroddiad yn mynd fawr pellach. Mi fyddai'n sgwennu'r manylion gan ddweud y byddai'n ymchwilio, er i fod o'n gwybod na fyddai hynny'n digwydd. Tenau iawn oedd y ffeithiau gan y ferch a'r unig reswm yr oeddan nhw wedi dod i orsaf Porth Milgi oedd am ei bod wedi adnabod y troead am y pentra ynghanol y tywyllwch. Mi oedd hi wedi cael gwybod ar ddarn o bapur yn ei locer yn yr ysgol y byddai tacsi yn ei phigo fyny o flaen pa bynnag leoliad yn y dre, doedd Iolo ddim yn cofio'r manylion bellach, ar y dyddiad dan sylw am hyn a hyn o'r gloch. Yr unig amod oedd, os oedd ganddi ffôn, i beidio dod â hi. Os y byddai yna ffôn yn cael ei gweld neu'i defnyddio, dyna fyddai diwedd popeth. A dyna fuodd. Cyfarfod y tacsi, car oedd wastad yn cael ei barcio ar gyrion y dre i osgoi CCTV, cyn i'r gyrrwr fynd â hi i dwll din byd rhywle yn ardal Porth Milgi. Y ferch wedyn yn gorfod mynd trwy uffern yr ystafell dywyll, cyn i'r drws agor unwaith eto a'r tacsi wedyn yn ei gadael ar gornel dywyll i chwilio am ffordd adra.

A'r un oedd y stori bob tro. Yr un stori yn dod trwy ddrws yr orsaf a Iolo yn gorfod sgwennu'r manylion, cydymdeimlo a chario mlaen i gasglu'r amlenni yn llawn arian oedd yn glanio'n gyson. Dyma oedd o fod i'w wneud, dyma yr oedd o wedi addo ei wneud. O'r eiliad y gwnaeth o roi ei fachau barus ar yr amlen gyntaf, mi oedd ganddo fo ran yn yr holl beth. Doedd dim y gallai wneud. Byddai, mi fyddai'r cwynion yn cyrraedd clustiau swyddogion mewn gorsafoedd eraill yn y sir, a hyd yn oed uwch-swyddogion. Mi fydden nhw yn ymchwilio ar ôl i Iolo gyflwyno ambell i adroddiad yr oedd wedi ei sgwennu, ond dim pob un. Pwy oedd y gyrrwr tacsi oedd y cwestiwn bob tro. Doedd o ddim yn gweithio i'r un cwmni tacsi yn y dre. Pwy bynnag oedd yn cyrraedd ym mha bynnag gar i nôl y merched, doedd o ddim yn yrrwr tacsi go iawn. Mi oedd hi wastad yn dywyll a doedd dim sgwrs i'w chael. Mi fyddai'n gofyn oeddan nhw wedi gadael y ffôn symudol yn y tŷ ac i ffwrdd â nhw. Yr ysgol oedd yr unig gysylltiad arall – y nodyn di-enw yn y loceri. Yn ddieithriad, mi fyddai'r llythyr am y tacsi yn dod wedi wythnosau o negeseuon papur eraill oedd wedi eu clymu o amgylch bwndel o arian sylweddol. Doedd hi ddim yn anodd o gwbl gwthio'r eitemau drwy'r holl bost oedd yn nrws pob locer. Twll neu hollt i ddisgyblion allu gadael llyfrau yn sydyn wrth basio oeddan nhw i fod, neu fodd i athrawon adael nodyn neu set o nodiadau. Ond yn Ysgol Cae Garw, hwn oedd y twll oedd yn agor giatiau uffern i'r merched.

Ddaeth dim byd o unrhyw ymchwiliad yn yr ysgol chwaith. Doedd dim modd profi na gweld dim ar gamerâu yr ysgol – dim byd anghyffredin. Mi oedd yn gynllun perffaith. Iolo yn chwarae rhan y plismon di-glem a'r Cadeirydd yn trefnu'r gweddill. Ond mi ddaeth pethau'n agos iawn at fynd yn llanast diolch i Branwen Williams.

Caeodd PC 7219 ei lygaid yn dynn unwaith eto cyn cymryd joch tew arall o'r botel. Mi oedd o wedi ennill wrth dderbyn yr amlenni am chydig ond colli pob dim wnaeth o yn y pen draw. Yng ngwaelod pob potel roedd ei hwyneb hi y noson honno ac mi fyddai bob tro yn agor potel arall yn y gobaith na fyddai i'w gweld yn y nesaf. Ond mi oedd hi wastad yno. Mi gollodd ei briodas, ei dŷ a'i blant wrth geisio boddi'i gyfrinachau a'i ran yn chwarae y plismon pentra di-glem.

Mi oedd Branwen wedi ei bachu, wedi misoedd o anrhegion drud a llythyrau cynnil, hudolus. Roedd hi wedi ei rhwydo heb glem be oedd o'i blaen tan iddi gael ei hudo i'r stafell am y tro cyntaf a'r tro dwytha. Felly, pan welodd hi ei chyfle, mi afaelodd yn un o'r dynion o dywyllwch yr ystafell a chael gweld o fewn eiliad ei bod hi wedi gafael yn neb llai na Parry Pregethwr. Fo oedd un o'r dynion oedd wedi bwriadu'i chamdrin y noson hono, a'r peth nesa glywodd hi oedd y stafell yn gwagio wrth i'r lleisiau eraill ddiflannu am y drws. Wyneb Parry oedd yr ola fyddai'n ei weld, wrth i'w ddwylo ei mygu o'i hieuenctid. Dyna pryd y cafodd Iolo yr alwad. Parry ei hun ffoniodd, yn dweud ei fod yn gwneud hynny wedi gair efo'r Cadeirydd a'r cylch, yn dweud bod rhaid glanhau'r sefyllfa. A dyna'r tro cyntaf i Iolo ddod i gysylltiad ag unrhyw un arall oedd yn gwybod be oedd yn mynd ymlaen. Y Pregethwr. O bawb.

Hyd heddiw, Parry ydi'r unig un mae Iolo'n wybod sydd yn y cylch cyfrin. Y noson honno, mi aeth Iolo i'w gyfarfod ar y traeth. Mi oedd corff Branwen Williams yn ei gar. Mi esboniodd Iolo ei fod wedi cael gafael ar wn ac y byddai'n ei ddefnyddio i gael gwared ar unrhyw dystiolaeth fforensig, cyn claddu y corff ar un o'r clogwyni uwchlaw y traeth. Ddaeth yr un gair o geg Parry wrth iddo helpu Iolo i symud y corff i'w gar o. Ar ôl ei rhoi yn y bŵt, mi fentrodd Iolo, 'Mi fydda'i angen mwy o bres am hyn.' Mi neidiodd y goler amdano a rhoi ei law gydnerth yn dynn am ei gorn gwddf.

'Wel, gei di ddeud wrth y Cadeirydd na fydd yna yr un

ohonan ni yn talu'r £1,000 yr un am y llanast dan ni 'di weld heno!' Mi fartshiodd dyn y pulpud yn ôl am ei gar a gadael Iolo yn fud. Dau beth wnaeth ei daro. Y cyntaf, yn amlwg, oedd bod Branwen Hen Felin yn gelain yn ei gar ac mi oedd o ar fin ei chladdu'n ddiseremoni. Yr ail oedd bod Parry yn amlwg yn meddwl bod Iolo yn nabod neu o leia yn sgwrsio efo'r Cadeirydd.

Neidiodd Iolo allan o ogof ei euogrwydd ac edrych unwaith eto ar y goriadau ar y ddesg. Gafaelodd yn y goriad oedd yn agor y sêff heb feddwl. Agorodd y drws mawr trwm a byseddu'r bagiau tystiolaeth oedd wedi eu cloi yno ers i'r Dr Peter Guard orffen ei waith. Gafaelodd yn y bag yr oedd o ei angen. Unwaith eto, mi ddaeth wyneb yn wyneb â'r gadwyn yr oedd wedi ei gweld ar y noson hono yr holl flynyddoedd yn ôl. Caeodd y drws a'i rhoi yn ei boced. Mi gymrodd un swig arall o'r Tenneesse Jack a rhoi honno yn ôl yn y drôr yn y ddesg. Mi fyddai angen o leia botel arall cyn diwedd yr wythnos.

23

Arestio

WRTH BARCIO o flaen Gorsaf Heddlu Porth Milgi, gwelodd Colin Williams nad oedd Mondeo DI Ashurst yno, felly diffoddodd injan yr hen Astra ffyddlon, tynnu'r gwregys ac eistedd yn llonydd. Yn ei ben, mi oedd llais Max Sumner wedi ennill ei blwyf ar ôl eu galwad ffôn. Mi oedd Colin yn gwybod fod ganddo damaid o dystiolaeth nad oedd gan yr heddlu – neu o leia dystiolaeth nad oeddan nhw wedi gwneud dim ag o hyd yn hyn. Mi oedd o hefyd yn ymwybodol iawn y gallai wneud enw iddo'i hun trwy arwain o'r blaen ar y stori fawr yma. Os allai fod gam ar y blaen i bawb arall, cyflwyno'r wybodaeth oedd ganddo cyn yr enwau mawr, tybed lle y byddai'n cael cynnig gwaith ar ôl i hyn i gyd ddod i ben? Mi oedd ei feddwl yn rasio. Y *Manchester Evening News*? Lle da i gychwyn. Oedd hynny'n ddigon uchelgeisiol? Be am geisio naddu ei ffordd nôl mewn i Lundain? *Daily Mail* efallai? Mi fyddai hynny'n anhygoel. Dyna'r papur mwya pobologaidd yng Nghymru ac mi fyddai gweld enw Colin Williams o dan bennawd yn y fan honno yn freuddwyd. Ond yna mi stopiodd a dod yn ôl at Max Sumner.

Mi oedd y mwynhad pur yn llais hwnnw pan gafodd o ddatgelu enw Moi Saim yn rhywbeth od. Pwt o wybodaeth allai olygu dim, neu mi allai olygu popeth, ond ta waeth am hynny. Y stori, cael yr *exclusive* sydd yn bwysig a dyna ydi ocsigen pobol fel Sumner. Oedd o'n mynd i gael yr un wefr o wneud pethau tebyg, meddyliodd Colin. Ai dyna oedd ei uchelgais? Bod yn rhywun oedd yn pysgota am pa bynnag fantais bosib, dim ots os oedd hynny'n golygu llygru'r dŵr i gyd i bob cyfeiriad? Injan y Mondeo y tu ôl i'w Astra ddaeth â fo yn ôl i Borth Milgi.

'DI Ashurst,' meddai Colin wrth iddo gamu allan o'i gar, a hynny cyn iddi gau drws ei char hi. Dechrau cerdded am ddrws y steshion wnaeth Ashurst.

'Sgen i ddim amser rŵan, dwi 'di deud bob dim dwi am i ddeud yn y gynhadledd yn gynharach.' Ond fel oedd hi'n rhoi ei llaw ar handlen y drws i fynd i mewn, mi glywodd Colin Williams o du ôl i'w hysgwydd yn datgan,

'Fi oedd yn meddwl dybad oedda chdi wedi holi'r unig droseddwr rhyw sy'n byw ym Mhorth Milgi ar hyn o bryd?' Mi stopiodd y ditectif yn stond, troi a brasgamu yn ôl at y cyw riportar a'i gar.

'Gwranda, os ti'n meddwl bod chwarae ryw gêms fel hyn yn mynd i dy helpu di i gael ryw stori neu ryw ongl ti'n feddwl sy'n bodoli allan ohona i – ti'n rong. Ti meddwl am bod y ddau ohonan ni o'r lle yma, bod ni'n cysylltu rwsud? Wel dydan ni ddim. Felly dos i godi cewyll efo dy dad os ti am wneud gwaith go iawn.' Damia, rhy bell, doedd Ashurst ddim wedi bwriadu bychanu.

'Dyma ydi ngwaith go iawn i,' atebodd Colin, 'a dwi'n deud wrtha chdi y bydda i'n cyhoeddi yn *Yr Herald* y diweddara am yr achos... bod Morris Edward Thomas ar y gofrestr troseddwyr rhyw ers 1978. Mi oedd o'n byw yma, efo'i fam ar Stad Cae Gwyn pan doedd o ddim ar y môr, ac mi oedd o'n byw yma yn 2003 pan ddiflannodd Branwen Williams.' Mi aeth Colin

Williams yn ôl i'w gar, gan adael Yvonne Ashurst yn edrych arno yn gegagored, cyn iddi daranu i mewn i'r orsaf heddlu.

Mi neidiodd Iolo o'r gadair y tu ôl i'r ddesg pan ffrwydrodd y drws ar agor. Doedd o erioed wedi gweld neb mor flin.

'Sud ath hi yn yr ysgol?' oedd yr unig beth allai feddwl i'w ddweud.

'Dim ots am yr ysgol!' meddai'r DI, 'Pam ddiawl bod yna riportar papur newydd yn gneud yn gwaith ni i ni ydi'r cwestiwn dwi'n ofyn?' Doedd Iolo ddim yn siŵr be i'w ddweud. Rhwng y Jack yn ei gorff a'r euogrwydd oedd yn ei fwyta'n fyw o'r tu mewn, mi benderfynodd aros yn dawel wrth i Ashurst wibio heibio a rhoi andros o gic i'r sêff ar lawr wrth ochor y ddesg, cyn gweiddi, 'BLYDI HEL' o grombil ei bodolaeth. Mi gododd y DI y ffôn a deialu HQ, mi roddodd rif ei bathodyn i'r biwrocrat yn adran wybodaeth ganolog y llu a gofyn am enw unrhyw un o Borth Milgi ar y Gofrestr Troseddwyr Rhyw. Un enw. Morris Edward Thomas. Mi darodd y ffôn yn ôl yn ei chrud mor galed nes fod y ddesg i gyd yn crynu.

Eisteddodd ar lawr wrth ochor y sêff. Rhythm ei hanadlu yn gyson ac yn ddwfn. Does bosib bod yr un peth yn digwydd eto, yr un peth ag a ddigwyddodd yn Llundain? Oedd hi unwaith eto wedi methu mewn achos mawr, tra roedd yr ateb y tro hwn o dan ei thrwyn? Doedd hi ddim wedi meddwl am Gofrestr y Troseddwyr. Rhwng colli'r criw fforensig a gorfod gweithio mewn amgueddfa o orsaf heb hyd yn oed gysylltiad call â'r we, mi oedd unrhyw syniad o allu gwneud gwaith heddlu modern, go iawn, y tu hwnt i'w dirnad.

'Moi Saim,' meddai Ashurst ymhen hir a hwyr.

'Ia,' meddai Iolo rhywle rhwng ofn a chyffro. Gwn Moi Saim oedd Iolo wedi'i ddwyn i saethu wyneb Branwen Williams er mwyn cuddio tystiolaeth. Mi oedd o'n gwybod yn iawn fod

Moi newydd fynd yn ôl ar y môr ar ôl cyfnod bach adra rhwng hwylio ac na fyddai angen torri mewn i'r tŷ i'w ddwyn, oedd yn *bonus*, achos doedd o ddim am styrbio ei fam. Felly o'r cwt, mi oedd hi'n hawdd i Iolo dorri mewn a thorri'r clo ar y cabinet a chael gafael ar y twelf bôr. Doedd dim siawns yn y byd bod Ashurst yn gwybod hyn, felly brathu'i dafod wnaeth Iolo eto ac aros iddi siarad drachefn.

'Oedda chdi'n gwybod fod Moi Saim ar y Sex Offenders?' Neidiodd calon Iolo.

'Nag o'n,' atebodd, yn defnyddio hynny o allu actio prin a oedd ganddo i guddio'r cyffro anferth neidiodd drwyddo.

'Wel mae o, neu mi oedd o leia, dwi ddim yn siŵr. Y pwynt ydi ma'r riportar yna'n gwybod hynny o'n blaena ni.'

Am y tro cyntaf ers bod yn y capel y noson honno, mi deimlodd Iolo ryddhad. Mi allai bob dim lanio wrth ddrws Moi Saim. Y gwn, ei enw ar y gofrestr a rhywun amlwg iawn o Stad Cae Gwyn i allu ei gyhuddo. Pwyllodd Iolo, cyn gofyn,

'Be dan ni am neud nesa?' Mi gododd Ashurst ar ei thraed.

'Dos ar y *comms* yn syth i HQ a gofyn am bob sgwad car posib, sydd ddigon agos i'r rhan yma o dwll din byd, a dweud wrthyn nhw anelu am ffifftîn Cae Gwyn. Dan ni am arestio yr unig lîd call sydd yna ynghanol y gachfa yma i gyd. A deud wrthyn nhw gyrraedd efo'r sioe i gyd ymlaen. Dwi am i bawb ym Mhorth Milgi glywed y *blues and twos* yn dod o bell er mwyn iddyn nhw wybod bod ni o ddifri am ddal y basdad nath hyn i Branwen Williams.'

24

Sheeran

Yn GORWEDD YN groes gongl ar ei wely a'i ddwylo y tu ôl i'w ben, mi oedd Callum yn llenwi'i glustiau efo caneuon cachu Ed Sheeran. Be bynnag oedd wedi digwydd rhyngddo fo a Kelly, mi oedd wedi gwneud y pethau rhyfedda iddo – gan gynnwys gwrando ar ganeuon y cochyn a'i gitâr. Wrth edrych ar do melynwyn ei stafell wely, mi oedd Callum yn wên o glust i glust ac yn torri ei fol i weld nos Sadwrn yn cyrraedd. Ond yn sydyn, mi aeth yna follten o ofn trwy'i gorff. Be allai wisgo, holodd ei hun, cyn taflu ei goesau dros ochr y gwely er mwyn cael eistedd ar ei ochr. Meddyliodd wedyn y gallai ofyn i Jac-Do – fo ydi'r un mwya ffasiynol o'r criw. Ar binsh, mi allai hyd yn oed fynd i stafell wely Carl ei frawd i fenthyg crys go smart – doedd y ddau ddim yn rhy bell o ran maint ac mi oedd gan Carl well syniad na Callum am ffasiwn. Tynnodd ei *headphones*.

Mi aeth ei ddwylo i ymbalfau yn nrôr top y cwpwrdd bychan wrth ochr ei wely. Mi rowliodd welltyn perffaith o ddail tybaco mewn tiwb o rizzla tenau a thanio. Wrth wneud hynny, diflannodd y fflam goch ac oren o flaen ei lygaid ac mi gafodd ei chyfnewid am olau glas yn dawnsio ar wal ei ystafell wely. Roedd y golau yn mynd yn gryfach ac yn gryfach ac erbyn hyn mi oedd Callum yn clywed sawl seiren yn dod yn nes ac yn nes. Neidiodd am y ffenest ac edrych allan. O ffenest ei lofft mi allai weld ceg y stad a'r troiad i'r brif ffordd ym Mhorth Milgi ac mi welai res o geir heddlu yn sgrialu i lawr y ffordd cyn troi am Cae Gwyn. Doedd Callum ddim yn gallu cyrraedd drws ei lofft yn ddigon buan.

Rhuthrodd i lawr y grisiau fesul dwy step cyn hedfan allan o'r drws ffrynt mewn pryd i weld y ceir yn gwibio heibio cyn chwalu'r brêcs a dod i stop sydyn iawn. Rhedodd Callum i lawr y llwybr i flaen y tŷ ac agor y giât a chamu allan i'r pafin. Doedd o ddim ar ei ben ei hun.

Wrth edrych o'i gwmpas, mi oedd Stad Cae Gwyn i gyd allan, yn gwylio wyth o blismyn mewn pedwar car gwahanol yn rhedeg i'r un cyfeiriad.

'Be goblyn sy'n mynd mlaen, dwa?' oedd cwestiwn Mrs Davies drws nesa. Cyn i Callum gael y cyfle i'w hateb, mi welodd bod y plismyn yn amgylchynu nymbyr ffifftîn – tŷ Moi Saim! Efo'i smôc yn hongian yn ei geg, mi redodd Callum yn droednoeth i gael bod yn nes at yr hyn oedd yn mynd ymlaen. Mi wthiodd ei ffordd trwy ambell un yn y giang oedd wedi dechrau ffurfio, cyn cyrraedd y car plismon oedd agosa ato – yn y fan honno mi gafodd ei stopio gan un o'r glas.

'Stopia fan'na, paid â meddwl mynd dim pellach,' meddai hwnnw wrth roi ei law allan ac o amgylch canol Callum i'w stopio rhag cymryd cam arall yn ei flaen. Mi oedd pen Callum ar chwâl.

Edrychai o'i gwmpas â llygaid gwyllt i geisio gwneud pen a chynffon o'r hyn oedd o'n weld. Mi oedd yna blismon yn rhoi'r tâp glas a gwyn plastig o amgylch tŷ Moi, mi oedd y drws ffrynt bellach ar agor led y pen, mi oedd yna blisman arall yr ochr draw i'r pedwar car yn sgwrsio efo criw o bobol eraill oedd wedi dod allan i fusnesu, a'r eiliad nesa, mi welodd Callum Moi.

Mi oedd o'n cael ei arwain o'i dŷ ei hun mewn cyffion – un plismon yn gafael ynddyn nhw ac un arall wedyn y tu ôl i Moi. Allai Callum ddim credu be oedd o'n ei weld. Gwthiodd yn erbyn y plismon oedd yn ei atal rhag cyrraedd Moi.

'Paid â gneud dim byd gwirion,' meddai hwnnw, 'cym bwyll, neu mi fyddi di'n cael trip i'r steshion hefyd.'

'Ia, ond be dach chi neud? Pam bo chi'n mynd â Moi o'ma? Dydi Moi ddim 'di gneud dim i neb, naddo? Dwi'm yn coelio…'

Doedd Callum ddim yn siŵr iawn be i'w ddweud wrth iddo geisio gwneud synnwyr o'r olygfa o'i flaen. Mi oedd Moi yn cael ei arwain yn nes ato, yn amlwg yn mynd i gael ei roi yn y car oedd agosa at Callum. Fel oedd pen Moi Saim yn cael ei wthio i lawr er mwyn iddo eistedd yn y sedd gefn, mi waeddodd Callum o berfedd ei stumog,

'MOOOOI!' Ar ôl bod yn canolbwyntio'n llwyr ar ei ddwylo a'r llawr o'i flaen, mi gododd Moi ei ben ac edrych o'i gwmpas yn wyllt i geisio dod o hyd i Callum. Mi welodd o'r unig ffrind go iawn oedd ganddo yn ceisio dod yn nes ac yn llusgo plismon efo fo.

'Paid!' gwaeddodd Moi. 'Fydd bob dim yn iawn, gei di weld, ond ma raid i chdi nghoelio i, nes i ddim byd i'r hogan ar y traeth, wir yr, dim byd. Rhaid i chdi nghoelio i.' Mi suddodd cynffon brawddeg Moi i gefn y car heddlu efo gweddill ei gorff. A dyna ni. Moi wedi mynd. Mi wibiodd y car heddlu heibio i Callum a phawb arall o drigolion Cae Gwyn – y golau glas yn pwmpio fel calon Callum a'r sŵn o'r seiren fel procer poeth trwy'i glustiau.

'Dwi 'di ama fo ers sbel chi, dwi 'di deud bod o'n un digri

erioed.' Trwy'r holl ddrama, doedd Callum ddim yn gallu gweld pa un o'i gymdogion oedd wedi dechrau hel clecs yn barod ond mi waeddodd i gyfeiriad un casgliad o bobol.

'Cerwch adra i falu cachu yn lle hel clecs am rwbath dydach chi ddim yn wybod dim amdano fo – cachwrs ydach chi gyd!' poerodd cyn dechrau cerdded yn ôl am y tŷ. Ond yna mi deimlodd rywun yn ei dynnu yn ei ôl gerfydd ei arddwrn.

'Ti'n iawn, Cal?' oedd y geiriau nesaf glywodd o cyn i Kelly ei dynnu i'w breichiau a'u cau amdano er mwyn cynnig lloches rhag y corwynt oedd yn chwyrlïo o'i gwmpas.

***

Fflachiodd y golau glas o amgylch waliau yr ystafell yng ngorsaf heddlu'r dre. Mi oedd Yvonne Ashurst wedi cerdded yn ôl ac ymlaen ar hyd yr ystafell ar y llawr cyntaf o leia gant a hanner o weithiau. Mi neidiodd ei chalon pan welodd y goleuadau glas yn brwyrdo am le ar y waliau o'i chwmpas – mi oedd hynny'n golygu fod Morris Edward Thomas wedi cyrraedd. Doedd dim pwrpas hyd yn oed ystyried ei gludo i un lle arall – gorsaf heddlu'r dre oedd yr agosaf i Borth Milgi efo celloedd pwrpasol ac ystafell holi. Doedd hi ddim am wneud llanast o'r ymchwiliad yma. Dim y tro hwn. Dim eto.

Aeth i sefyll wrth y ffenestr. Mi oedd hi yn yr ystafell orau yn yr orsaf – yr ystafell fwyaf. Yma y byddai unrhyw gynhadledd i'r wasg neu unrhyw gwrs hyfforddi yn cael eu cynnal. Ystafell fawr olau, yn edrych allan ar y dref, ac oddi tani mi welai y giatiau mawr dur yn agor yn gyndyn er mwyn gadael y ddau gar plismon i mewn. Mi oedd hi wedi gofyn i'r ddau gar arall aros ar Stad Cae Gwyn tan iddi nosi – rhag ofn y byddai yna unrhyw drafferthion. Pwysodd ei thalcen ar y ffenestr ac mi rwbiodd ei gwegil efo'i llaw chwith ar ôl codi ei phenelin dros ei phen. Gallai deimlo'r pwysau.

Doedd Yvonne Ashurst ddim yn ddynes dal iawn. Mi oedd hi wedi chwarae rygbi i ferched ysgol Cymru yn safle'r bachwr ac wedi cynrychioli Heddlu'r Met ar y cae. Mi oedd hi'n dal yn ddynes bwerus, eitha ffit o hyd, er nad oedd hi wedi chwarae rygbi ers sbel. Wrth wthio'i thalcen ymlaen ar y ffenestr, yn union fel yr oedd hi wedi gwneud ganwaith wrth fynd i lawr am sgrym, braf oedd teimlo'r gwydr yn ei oeri. Caeodd ei llygaid.

Mi oedd y noson honno yn Tower Hamlets mor glir ag erioed. Ar lawr dau ddeg dau bloc o fflatiau, mi oedd hi a'i phartner wedi gallu cadarnhau bod Mark Petchenik yn byw. Ers misoedd, mi oeddan nhw wedi bod yn casglu tystiolaeth yn erbyn y smygliwr. Dyn clyfar iawn, dyn cyfrwys tu hwnt a dyn nad oedd yn hoff iawn o gael ei ddwylo yn fudur. Doedd dim dwywaith y byddai mynd ar ei ôl yn beryglus ond doedd dim elfen o drais yn agos at ei ddull o weithredu nac awgrym ei fod yn perthyn i gang. Y dyn yn y canol oedd o – rhywun oedd yn cael arian mawr i symud unrhyw beth o amgylch cyfandir Ewrop heb iddo orfod symud o'i gyfrifiadur yn Tower Hamlets. Ceiswyr lloches o Fwlgaria i Ffrainc? Dim problem – dim ond talu'r arian mawr ac mi fyddai Petchenik yn gallu symud ei bobol i wneud popeth yn bosib diolch i'w rwydwaith eang o gysylltiadau. Dim ond bod y nwyddau yn y lle a'r lle, mi fyddai'n gwneud yn siŵr bod y lorïau a'r dynion yno i'w symud. Cocên o Dde Sbaen i Ogledd Iwerddon? Taith y byddai'n gallu ei threfnu efo'i lygaid wedi cau. Efallai mai cludo tomatos oedd y rheswm swyddogol ac efallai y byddai angen talu cildwrn yma ac acw i ambell swyddog tollau oedd ar y llyfrau yn answyddogol – ond yr un fyddai'r canlyniad.

Mi fyddai nwyddau Petchenik wastad yn cyrraedd pen eu taith.

Y noson honno, gan wybod na fyddai swyddogion ar gael i'w cefnogi, mi benderfynodd Ashurst a'i phartner Simon Peterson fynd â gwarant i'w ddrws a chynnal archwiliad syml o'i fflat. Mi oedd ganddyn nhw ddigon o dystiolaeth i wneud hynny ac mi oedd yr uwch-swyddogion wedi rhoi'r ok. Doedd neb yn disgwyl fawr ddim a bod yn onest – mi oedd hwn yn rhy glyfar i adael dim amlwg yn ei fflat. Y we a bitcoin oedd ei fyd o ac mi fyddai'r criw technegol yn cael hwyl efo'i gyfrifadur. Rhyw ymdrech i roi gwybod iddo bod y cylch yn cau oedd y noson honno. Felly mi gytunodd Ashurst i aros wrth y drws i'r lifft, tra aeth Peterson i gnocio ar ddrws Petchenik. Mae'r ergyd o'r gwn yn deffro Ashurst o'i chwsg hyd heddiw.

Er bod y saethu wedi digwydd ar yr ail lawr ar hugain, mi allai'r gwn fod wedi ei danio wrth ochr ei chlust, cymaint yr oedd hi'n teimlo'r sioc yn gafael yn ei chorff. Rhedodd at y lifft a phwyso'r botwm yn wyllt. Ond doedd dim yn tycio a'r lifft, fel mewn unrhyw ddrama dditectif dda, ddim yn gweithio.

Mi anelodd Yvonne Ashurst am y grisiau a'i gwynt yn ei dwrn. Fel chwaraewr rygbi cymharol ffit a chorff oedd yn agos iawn at y llawr, mi bwmpiodd ei choesau byr i ddringo dwy neu dair o'r grisiau ar yr un pryd, bob tro. O ran ffitrwydd, doedd dim hawl ganddi gyrraedd y pymthegfed llawr ar y cyflymder y gwnaeth hynny, ond wrth i'w chalon rasio a'r adrenalin ei gwthio mi gyrhaeddodd lawr dau ddeg dau gan weithio'n galed iawn am bob anadl denau oedd yn llenwi ei hysgyfaint. Trodd y gornel o ddrws y grisiau ac edrych i lawr y córidor oedd yn falconi yn cysylltu pob fflat ar y llawr hwnnw. Doedd dim dwywaith pa fflat oedd un Petchenik. Mi welai ben Peterson yn y córidor, y gwaed yn arllwys ohono. Wrth fynd yn nes, mi welodd bod gweddill ei gorff y tu mewn i'r fflat. Mi oedd Simon Peterson wedi ei saethu unwaith ynghanol ei dalcen, yr eiliad y cafodd y drws ei agor. Doedd ganddo ddim gobaith. Go brin ei fod o wedi cael cyfle i ddangos ei ID. Er ei bod yn gwybod nad oedd unrhyw bwrpas gwneud hynny, mi ffoniodd Ashurst am ambiwlans ac am gymorth pellach. Ar ôl hynny, mi aeth i mewn i'r fflat.

Dim byd. Dim blewyn o'i le. A dweud y gwir, mi oedd y lle yn anarferol o lân. Rhoddodd y goleuadau i gyd ymlaen. Aeth i mewn i'r bedair ystafell – yr ystafell fyw, y gegin, y bathrwm a'r ystafell wely. Dim byd. Mi oedd y lle yn edrych yn union fel petai wedi ei baratoi ar gyfer ei werthu neu fel petai neb yn byw yno hyd yn oed. Doedd dim un llun, ffrâm, addurn, dodrefnyn diangen na chwpwrdd na chadair yn ormod. Yr unig beth oedd yn llenwi ei ffroenau oedd aroglau blîtsh. Nid yn unig bod ei phartner yn gelain yn y drws – doedd y dyn yr oeddan nhw ar ei ôl ddim wedi gadael gronyn o dystiolaeth. Mi ddechreuodd y ditectif ifanc o Borth Milgi grio yn y fan a'r lle, ar lawr dau ddeg dau y bloc yna o fflatiau yn Tower Hamlets.

Doedd dim modd darbwyllo Ashurst. Ei bai hi oedd marwolaeth Simon Peterson – er nad oedd hynny'n wir o gwbl. Doedd y wybodaeth a'r manylion am yr achos ddim yn awgrymu o gwbl bod Petchenik yn ddyn treisgar na'i fod yn cario arfau. Cadw'i drwyn yn lân oedd ei unig fwriad wrth wneud arian mawr ar gefn dioddefiant eraill. Yn amlwg, mi oedd y wybodaeth yn anghywir. Doedd dim olion o gwbl o'r dihiryn yn ei fflat chwaith. Casgliad y tîm fforensig oedd ei fod wastad yn gwisgo menyg – hyd yn oed i fynd i gysgu. Mi oedd yr haen *latex* rhyngddo a phopeth arall yn golygu ei fod wedi bod yn byw yno fel ysbryd. Doedd dim hyd yn oed blewyn ar ei ôl. Un ai mi oedd o'n mynd i eillio pob un tamaid o'i ben a'i gorff yn gyson neu mi oedd o'n treulio'i nosweithiau yn gwneud dim heblaw am lanhau pob modfedd o'i gartref. A'r peth gwaetha un? Yr unig olion bysedd gafwyd yn y fflat oedd rhai Ashurst. Ar ôl iddi hedfan i mewn a bysedu bron popeth amlwg – y cyfan ar ôl o'u gwaith nhw oedd ei holion bysedd hi yn fflat un o'r dynion mwyaf annymunol yn Ewrop. Simon Peterson yn pwyso ar ei chydwybod am byth, Mark Petchenik yn y gwynt a gweddill y ditectifs yn chwerthin ar ben y Gymraes ac yn gwrthod gweithio efo hi ar unrhyw achos.

Mi lusgodd Ashurst ei hun yn ôl i'r stafell fawr yng ngorsaf y dre y noson honno. Rhaid oedd gwthio pob dim oedd wedi digwydd yn Llundain i gefn ei meddwl. Mi oedd hi'n agos iawn bryd hynny at dorri un o'r achosion mwyaf yn hanes diweddar y Met. Y diweddglo oedd fod ei phartner yn farw a bod pob plismon arall yn meddwl ei bod yn dditectif sobor o wael. Teimlodd Yvonne Ashurst fod yna gyfle rŵan i geisio gwneud yn iawn am rai o'r pethau yna. Mi oedd popeth yn teimlo fel ei fod yn arwain at yr oriau nesaf. Y ffaith ei bod yn ôl yn ei bro enedigol, ei bod yn cofio diflaniad Branwen Williams a bod yna gyfle rŵan i gau achos hanesyddol. I unrhyw blismon, mi oedd hynny'n mynd i fod yn bluen fawr iawn yn yr het. Cau achos sydd wedi bod ar agor am flynyddoedd mawr – mae honno'n ffordd bendant o brofi eich bod yn haeddu bod yn rhan o'r llu. Roedd hi'n gwybod hefyd ei bod yn ffordd o brofi bod rhywun yn gallu gadael Porth Milgi a gwneud cyfraniad i'r byd. Doedd ei mam a'i thad ddim yn fyw, ond teimlai DI Ashurst falchder yn ei gwaith unwaith eto'r noson honno wrth edrych allan dros y dre.

Ochneidiodd. Mi oedd hi'n benderfynol o gau'r achos yma ac mi oedd hynny'n golygu wynebu rhywun oedd yn gyfarwydd i bawb o Borth Milgi. A fyddai cyfweld Edward Morris Thomas, Moi Saim, yn ormod? A fyddai hi'n ei chael hi'n anodd i wasgu'r wybodaeth allan o un o gymeriadau amlyca Porth Milgi? Na. Dim o gwbl. Mi eisteddodd Ashurst i lawr wrth y ddesg wrth ei hochr a dechrau cael trefn ar ei meddyliau a'r cwestiynau yr oedd hi am eu gofyn i Moi Saim yn y ddalfa. Mi oedd yma fwy na chyfle i roi atebion a heddwch i deulu Branwen Williams – hwn oedd y cyfle i Ashurst gau y bennod ar Tower Hamlets. Hwn oedd y cyfle i ddiolch i Simon Peterson am ei gwarchod, ei hyfforddi a gofalu amdani yr holl flynyddoedd hynny'n ôl wedi iddi gyrraedd y ddinas fawr ddrwg. Dyma'r cyfle i leddfu chydig ar ei chydwybod – be bynnag fyddai fersiwn Moi Saim o bethau.

25

Dêt

Damia! Ploryn. Tri deud y gwir. Ond dim ond un efo pen gwyn. Oedd hi'n werth gwasgu'r pen gwyn o dan ei drwyn? Beth petai'n crachu'n hyll? Mi oedd y ddau arall yn goch ond dim yn rhy goch, un ar ei ên a'r llall ynghanol y blew fflwff oedd ganddo wrth ochr ei glust. Wrth edrych arno'i hun yn syllu ar y drych, mi benderfynodd Callum fynd amdani. Mi aeth yn nes. Rhoi blaen ei ewin allan a chrafu wyneb y ploryn. Pop. Ffrwydrodd yr hylif gwyn, cyn iddo fynd yn ôl i wasgu eto a chael y crombil gwyn allan. Wedyn ddaeth yr hylif clir o'r ploryn a dyna pryd y gwnaeth Callum disian miliynau o ddarnau gwahanol o snot ar hyd y drych i gyd. Hon oedd y noson fawr.

Mi ddefnyddiodd y tywel roedd o newydd ei ddefnyddio i'w sychu'i hun i sychu'r drych. O'i flaen, gwelai fod ei gorff yn newid yn gyflym iawn. Cododd ei fraich i roi'r Lynx yn ei le priodol – does yna'r un ferch yn gallu gwrthod joch go lew o Affrica yn ôl Jac-Do. Gafaelodd y Lynx yn y cwdyn mwsog oedd yn datblygu i fod yn flew o dan ei gesail. Sylweddolodd Callum fod ei fam yn dweud y gwir – mi oedd o wedi mynd yn hogyn tal. Doedd yr un crys ysgol yn ffitio'n iawn byth, o un wythnos i'r llall, ac mi oedd pob pâr o drowsus yn edrych fel petai'r gwaelodion wedi dadlau efo'i esgidiau. Gafaelodd yn yr unig jîns yr oedd o'n teimlo'n gyfforddus ynddyn nhw oddi ar y gwely, rhai glas golau coesau landeri main, a'r crys gwyn plaen yr oedd Jac-Do wedi'i roi fenthyg iddo. Camodd at y drych.

Roedd ei wallt yn fyr yn y cefn ond yn donnau du trwchus o'i gorun i lawr at linell ei dalcen. Mi oedd pob cyrlan ddu drwchus yn disgyn yn berffaith i'w lle, a doedd o ddim am i hynny newid o gwbl – dim heno o bob noson. Rhoddodd ei fysedd yn y potyn wacs yr oedd o wedi'i ddwyn o lofft ei frawd. Mae'n rhaid ei fod o'n bot newydd gan nad oedd olion bysedd Carl i'w gweld yn agos i'r haen berffaith ar dop y tun. I mewn â'r cwyr yn ara deg, bysedd Callum yn ei rwbio i wneud yn siŵr bod pob un gyrlan yn teimlo'r effaith yn llawn. Edrychodd arno'i hun yn y drych, ei lygaid gwyrdd yn gwenu, ei ên gron foel wedi eillio'n berffaith rhag ofn i flewyn gosi wyneb Kelly. Trwy lwc, mi oedd hyd yn oed y blew bach a oedd yn rhedeg i lawr ochr ei wyneb llyfn yn hanner edrych fel seidbyrns iawn, yn ei feddwl o beth bynnag. Cam yn ôl, edrych i'r drych eto a phenderfynu ei fod yn barod. A dyna'r gair ddaeth allan o'i geg wrth iddo siarad efo fo'i hun yn y drych. 'Barod' meddai'n uchel, cyn gwenu a gwgu drachefn wrth iddo gofio am y sefyllfa amlwg arall oedd ar ei feddwl. Moi Saim.

Eisteddodd Callum ar ei wely yn ofalus gan roi cefn ei ben i bwyso ar y wal, fel bod ei gefn ar y glustog a'i goesau allan o'i flaen ar y gwely. Y peth dwytha oedd o am ei wneud oedd cael rhychau yn ei grys. Gafaelodd yn ei ffôn o'r bwrdd bach wrth ei ochr. Agorodd app Google a chlicio ar yr enw yr oedd o wedi ei roi i mewn droeon ers i Moi Saim gael ei arestio – Branwen Williams. Doedd o ddim yn siŵr be oedd o'n ddisgwyl i'w weld o'r newydd. Bod Moi wedi ei gyhuddo? Bod yr heddlu wedi ei ryddhau ar ôl gwneud camgymeriad? Bod yna rywun arall – yr un oedd yn gyfrifol go iawn wedi ei arestio? Bod Branwen yn dal yn fyw ac felly doedd dim rhaid i Moi boeni? Mi gliciodd Callum ar yr erthygl ddiweddara oedd yn dod i'r brig er nad oedd hi wedi ei diweddaru ers oriau. Bob un stori yn dechrau efo'r un manylion – Branwen, 17 oed, diflannu yn 2003 a dyn lleol 60 oed wedi ei arestio. Sawl dyfyniad neu ambell glip fideo wedyn o'r un plismon, neu ryw gynghorydd lleol yn malu cachu am pa mor bwysig ydi'u barn nhw am y peth erbyn heddiw. Mi gafodd Callum lond bol. Diffoddodd y sgrin, neidio oddi ar ei wely, gafael yn ei gôt law ysgol ysgafn o du cefn y drws, gwthio i mewn i'r Adidas Samba du yr oedd o wedi eu dwyn o ystafell Carl ac i ffwrdd â fo am y traeth.

***

Erbyn hyn, mi oedd anferthedd y sefyllfa yn pwyso ar Callum wrth iddo droedio'r llwybr cyfarwydd o Stad Cae Gwyn i'r traeth. Mi oedd o'n mynd i gyfarfod un o'r bobol oedd o'n ei hadnabod hiraf. Oedd yna gysylltiad rhyngddyn nhw erioed? Ai mater o amser oedd hi'n mynd i fod o'r dechrau un? Oedd hi'n teimlo yr un peth? Oedd hi'n meddwl fod Callum yn ddigon da iddi? Mi allai Kelly ddewis unrhyw un yn y chweched, yn dre neu yng Nghyrmu siŵr o fod – mi oedd hi'n un o'r merched delaf yn unrhyw le. Doedd Callum ddim yn cofio cerdded y llwybr i'r traeth o gwbl – mi oedd ei feddyliau wedi golygu ei fod wedi crwydro i fyd ffanatsi pur. Heb iddo sylwi, mi oedd o o flaen caffi'r traeth wrth y mynediad i'r traeth. Caffi wedi'i wasgu rhwng Mynydd Graig Ddu ar y dde a'r twyni a'r cytiau lan môr ar y chwith oedd hwn. Roedd y mynediad i'r traeth ei hun wedi ei ledu reit wrth ochor y caffi ers blynyddoedd, er mwyn i'r Saeson gael mynd â'u cychod mawr ar y dŵr i chwarae plant a tharfu ar yr heddwch. A hithau newydd ddechrau tywyllu, mi oedd y caffi yn edrych yn dda, y goleuadau y tu mewn a'r rhai ar y teras tu allan yn dawnsio. Dyma fyddai wythnos ola'r caffi ar agor cyn i'r tymor gwyliau ddod i ben am flwyddyn arall. Trodd Callum i'r chwith yn reddfol ac anelu am y cytiau.

'O'r diwadd, lle ti 'di bod?' oedd cyfarchiad Kelly wrth i Callum nesáu. Mi oedd hi'n eistedd ar foncyff yn y tywod o flaen y cwt pellaf un o'r caffi.

'Pam bod chdi 'di mynd mor bell i lawr y traeth?'

'Mi odd hwn yma'n barod,' meddai Kelly, gan bwyntio at y cylch cerrig a'r tân cynnes oedd yn llosgi'r oren rhyfedda o'i grombil. Y fflamau yn fflyrtio efo'r düwch o'u cwmpas – yn herio pwy bynnag oedd yn ddigon agos i fynd yn nes.

'Ti 'di cael hwyl arni,' meddai Callum, cyn rhoi'i din ar y boncyff wrth ei hochr.

'Cadw tân i fynd ar lan môr ydi un o'r pethau dwi'n dda iawn am neud, hynny ac ambell beth arall,' meddai Kelly yn y llais mwya rhywiol oedd Callum wedi ei glywed ganddi erioed. Ac wrth iddi orffen ei brawddeg, mi wnaeth hi nesáu at Callum ac ymestyn ei gwddw er mwyn edrych i fyw ei lygaid. Na, meddai wrtho'i hun, ti ddim wedi breuddwydio bod yr arwyddion yno.

Mi roddodd Kelly ei phen i bwyso ar ysgwydd Callum, ond mi lithrodd hwnnw i orffwys yn daclus yn y bwlch rhwng gwelod ei ên a'i ysgwydd. Rhoddodd yntau ei fraich amdani yn robotaidd. Yr unig sŵn oedd i'w glywed oedd y fflamau yn bwyta'r pren, wrth i'r coedyn brotestio trwy glecian a gwichian. Wrth i'r ddau syllu i dywyllwch y nos a'r fflamau o'u blaenau, Kelly agorodd ei cheg yn gyntaf.

'Ti'n meddwl am Moi Saim?' Doedd o ddim yn siŵr sut i'w hateb. Hi oedd y cyntaf i ofyn hynny iddo. Mi adawodd i'r cwestiwn ddiflannu i'r nos efo'r fflamau cyn ateb.

'Yndw a dim arall.' Sylweddolodd y gallai hynny fynd yn ei erbyn yn sydyn. 'Wel, hynny a meddwl am gael dod i fan hyn heno...'

'Ti'n meddwl fod o 'di lladd yr hogan na?' Cyn iddi orffen y gair hogan, mi oedd Callum wedi brathu'r gair 'Na' o'i enaid.

'Fysa fo byth yn brifo neb, fysa fo byth yn gallu gneud hynny. Dwi 'di bod yn hela efo fo gymaint o weithiau a mae o'n casáu gweld unrhyw beth byw mewn poen neu'n diodda. Fysa fo ddim Kell, ddim jyst na, fysa fo ddim... fysa fo ddim yn gallu. Dydi o ddim yn i natur o. Fo ydi'r unig beth da am Porth Milgi.' Unwaith eto, mi sylweddolodd Callum be oedd o wedi'i ddweud, cyn gallu ychwanegu yn frysiog, 'a chdi yn amlwg, chdi a fo.' Mi gochodd Callum wrth i Kelly edrych i fyny arno, golau'r tân yn goleuo ei hwyneb gwyn tlws. Doedd ganddo ddim clem os oedd hi wedi mynd i'r un drafferth â fo i wisgo a phincio, mi oedd hi'n rhy dywyll i allu gweld erbyn hynny, ond mi oedd ei thlysni yn goleuo'r tywyllwch heb os.

'Ond mae pobol pentra yn siarad dydyn, Cal? Deud fod ganddo fo lwyth o shotgyns yn bob man, bod o 'di byw ar i ben i hun efo'i fam am flynyddoedd sy'n neud o'n *weird*. Ti'n meddwl neith y cops allu fframio fo, ta?' Doedd Callum ddim wedi meddwl am hynny. Ar ôl bod yn carlamu ar gan milltir yr awr, mi oedd yn rhaid i'w galon frecio yn sydyn iawn wrth iddi suddo.

'Dwn im. Fyswn i'n synnu dim. Pobol fel 'na sydd wastad yn i chael hi mewn lle felma, er bod yna bobol lot gwaeth na Moi o gwmpas. A mi dduda'i un peth arall wrtha chdi, mae 'na fwy na ti'n feddwl yn mynd ymlaen yn fan hyn, yn Porth

Milgi a stori Branwen Williams.' Mi lifodd y geiriau o'i geg yn gynt na'r tywod oedd yn llenwi'i sgidiau wrth iddo wthio'i draed i'r traeth yng ngharlam ei ddweud.

'Be ti feddwl?' gofynnodd Kelly gan dynnu ei phen o'i fynwes ac edrych i fyw ei lygaid. Mi oedd ei braich hi erbyn hyn yn yn pwyso ar ei ben-glin.

'Dim byd. Dim ots. Dwi ddim yn gwybod eto,' oedd ateb Callum a doedd o ddim yn dweud celwydd. Doedd o ddim. Doedd o ddim 'di cael amser i gael trefn ar ei feddyliau wrth geisio cysylltu'r holl ddarnau.

Distawrwydd. Mi roddodd Kelly ei phen yn ôl yn y boced gyfforddus, gynnes honno rhwng pont ysgwydd Callum a gwaelod ei ên. Mi oedd ei gwallt yn ôl yn un blethen, a phob hyn a hyn roedd 'na awel ysgafn fain yn dod i herio'r tân a herio ei gwallt hi ar yr un pryd. Mi oedd hwnnw yn cosi wyneb Callum wedyn ac yntau yn cael cyfle i feddwi ar y cymysgedd o ogla shampŵ, sent a swyn Kelly Owen. Cododd ei phen, a heb eiliad o rybudd mi darodd ei gwefusau rai Callum. Fel petai octopws wedi cau ei freichiau o amgylch ei wyneb, mi gafodd ei dynnu i mewn i fyd cwbl cwbl newydd a hurt o gyffrous. Mi wnaeth ei orau glas i ymlacio, wrth i Kelly arwain y ffordd ac mi oedd Callum yn fwy na bodlon ei dilyn i lawr y llwybr hyfryd yma. Tywod, yn hytrach na sanau oedd am ei draed bellach, a dim golwg o'i sgidiau wrth iddo wthio'i draed yn bellach i mewn er mwyn dal ei dir yn erbyn y corwynt yr oedd ei gorff yn mynd trwyddo. Camgymeriad oedd gwisgo trowsus mor dynn hefyd, doedd o ddim wedi rhagweld y byddai angen rhagor o le yn y jîns. Yn union fel petai'n darllen ei feddwl, mi agorodd Kelly fotwm top y trowsus a rhoi ei llaw i mewn. Waw. Allai Callum ddim credu be oedd yn digwydd.

'Sgen ti gondoms?' oedd y geiriau gafodd ei sibrwd yn ei

glust nesa, wrth iddi lwyddo rywsut i siarad a chnoi gwaelod honno yn gynnes a phoeth ar yr un pryd. Chafodd o ddim cyfle i'w hateb. 'Paid poeni' meddai hithau wrth estyn i'w phoced a llwyddo i agor y pecyn bach sgwâr mewn un symudiad didrafferth. Mi oedd hi'n barod i roi y condom yn ei le pan ofynnodd Callum yr unig gwestiwn allai feddwl amdano.

'Ti'n siŵr bod ni am wneud hyn, a ninna'n nabod yn gilydd ers ysgol feithrin a ballu?'

'Callum,' stopiodd Kelly, 'pam nest di ddeud hynna wan?' Mi oedd o'n gwybod bryd hynny fod ei eiliad fawr i fwrw'i swildod efo Kelly wedi pasio.

'Sori, jyst isho gneud yn siŵr ydw i, a ti'n gwbod, wel, dwi'n amlwg ddim yn dda iawn – ddim mor dda â chdi p'run bynnag.'

'Be ti feddwl?' atebodd hithau gan neidio ar ei thraed a sefyll rhwng y boncyn a'r tân.

'Wel, ti'n amlwg 'di gneud hyn o'r blaen.'

Teimlodd wres y fflamau ar ei wyneb yn syth gan nad oedd Kelly bellach yn sefyll rhyngddo fo a'r tanllwyth. Erbyn hyn, mi oedd hi'n martshio i lawr y traeth, heibio gweddill y cytiau ac yn anelu am y caffi ac am adref. Mi oedd golau'r caffi yn ei thynnu i'r cyfeiriad hwnnw a golau'r tân yn cynnig dim cysur o fath yn y byd i Callum. Cachu mot, meddai wrtho'i hun. Tynnodd ei esgidiau a gwagio'r tywod yn ôl ar y tywod o'i flaen. Damia. Mi oedd heno wedi bod yn ormod rhwng bob dim.

26

Holi

Â BLAENAU'I HESGIDIAU yn cyffwrdd y drws, fel ei thrwyn, mi lowciodd Yvonne Ashurst ei hanadl cyn pwyso i lawr ar yr handlen a chamu i mewn i'r ystafell holi. Yno yn eistedd y tu ôl i'r ddesg, ar un o ddwy gadair yn yr ystafell, oedd Morris Edward Thomas. Dyma wyneb yr oedd Ashurst wedi'i weld ar hyd ei phlentyndod – mor gyfarwydd i Borth Milgi â llanw a thrai y traeth. Petai rhywun wedi gorfod gwneud llun o forwr, fel hyn yn union y byddai'n edrych. Ei farf morwrol, a'i wallt creigiog gwyn-ddu, a'i ddwylo mawr cadarn.

Wrth estyn am y gadair i eistedd o'i flaen, 'Helô Moi' oedd y cyfan ddywedodd Ashurst cyn pwyso recórd ar y peiriant recordio sain.

'Er mwyn y cofnod, newch chi ddweud eich enw'n llawn a'ch dyddiad geni os gwelwch yn dda?'

'Morris Edward Thomas, twenti thyrd of ddy sefnth naintin sicsty.' Fel yr oedd o'n gorffen dweud hynny, mi agorodd y drws o du ôl i ysgwydd Ashurst wrth i sarjiant ddod â bagiau yn cynnwys tystiolaeth i mewn. Edrychodd Ashurst dros ei hysgwydd cyn troi i wynebu Moi Saim unwaith eto.

'Newch chi hefyd gadarnhau bo chi wedi cael cynnig ac wedi gwrthod cael cyfreithiwr yma efo chi heddiw?'

'Do ac ydw.'

'O le ddaeth yr enw Saim?' Doedd Moi ddim wedi gweld yr un yna'n dod. Trwy'i ofn a'i ddychryn ac wrth geisio cael trefn ar gwestiynau posib yn ei ben yn ei gell, doedd o ddim wedi meddwl mai dyna fyddai'r cwestiwn cyntaf.

'Mi odd fy nwylo i wastad yn dew o ryw saim neu'i gilydd – saim ar ôl bod yn pluo, saim neu oel ar ôl bod yn trwsio ryw injian neu'i gilydd, neu saim ti'n rhoi ar wn ti'n edrych ar i ôl. Enw perffaith os ti'n meddwl am y peth,' meddai Moi a dechrau chwerthin yn nerfus ac mi welodd Ashurst ei chyfle ar ôl llwyddo yn ei bwriad i'w gael i ymlacio am eiliad.

'Ia, sawl gwn sydd gynnoch chi?' Distawrwydd. Diflannodd y wên oddi ar wyneb Moi Saim. Unwaith eto, mi ddaeth difrifoldeb y sefyllfa yn un don anferth drosto ac mi oedd o'n flin ei fod wedi gallu meddwl bod merch Beryl Ashurst yno i'w helpu. Blin hefyd ei bod hi wedi codi cywilydd mawr arno yn anfon cymaint o heddlu a sŵn i'w arestio.

'Pedwar twelf bôr, tri efo bareli *over and under* ac un *side by side*. Ond ti'n gwbod hyn yn barod os ti'n dditectif gwerth dy halan. Ma bob dim wedi ei nodi ar ddu a gwyn gan fod bob un leishans yp-tw-dêt ers i mi gael y gynna o'r cychwyn cyntaf.' Mi bwysodd yn ei flaen yn ei gadair wrth dynnu at ddiwedd ei frawddeg, edrych i fyw llygaid y ditectif, cyn tynnu'n ôl, suddo i'w sedd ac edrych i gyfeiriad y drws unwaith eto. Mi adawodd Ashurst i'r geiriau hongian yn yr awyr, gadael iddyn nhw ddringo am y to a tharo'r golau strip fry uwch eu pennau cyn dechrau siarad eto.

'Derek, evidence bag 901 please.' Mi gamodd y plismon ifanc yn ei flaen a rhoi y bag tystiolaeth ar y bwrdd cyn mynd i sefyll unwaith eto wrth y drws. 'Rhein ydach chi'n feddwl?' gofynnodd y DI, cyn gwthio y bagiu plastig clir ar draws y bwrdd ac o flaen Moi Saim.

'Ia'n tad – y trwyddedau i gyd, yn union fel sonish i.'

'Mae dau o'r gynnau yna gynnoch chi ers 1976. Un deg chwech oed oeddach chi bryd hynny ac felly heb hawl i fod yn berchen ar yr un o'r gynnau – ma hynny yn erbyn y gyfraith, Moi.'

'Cael rheini gan dad nes i. Odd raid iddo fo roi'n enw i lawr rhag ofn i rywun arall fynd â nhw. Unwaith o'n i'n êtin, nes i gofrestru nhw yn yn enw i. Chafodd yr un ohonyn nhw eu saethu tan o'n i'n ddigon hen i allu gneud hynny.' Distawrwydd eto. Mi oedd yn rhaid i'r cwestiwn nesa fod yn llawer mwy uniongyrchol, pwrpasol meddai Ashurst yn ei phen, cyn gofyn.

'Erioed wedi saethu person arall?' Wnaeth Moi ddim tycio, dim ond dal edrychiad y blismones a mynnu yn ei ben na fyddai'n cau ei amrannau cyn y byddai Ashurst yn gwneud.

'Naddo, dim byd ond adar ac anifeiliaid,' oedd ateb cadarn Moi Saim.

'Derek, evidence bag 902.' Mi oedd yna fwy o frys yn llais y DI y tro yma. Gafaelodd yn y bag o law Derek cyn ei daro ar y bwrdd yn galed. Esgidau hela Moi Saim, bŵts dal dŵr du efo gwadan fel llechen hen aelwyd ym Methesda.

'Er mwyn y recordiad, mae Morris Edward Thomas yn edrych ar bâr o fŵts y daethpwyd o hyd iddyn nhw yn ystafell gefn ei gartref. Chi pia'r rhain?'

'Ia,' meddai Moi Saim heb oedi. 'Yn sgidiau mynd i hela gora fi – gafael da iawn ar dir glyb, cadw'r glaw allan mewn tywydd mawr ac yn braf i'w gwisgo. Ydi hynny yn erbyn y gyfraith?'

'Dim o gwbl, ond ma nhw'n debyg iawn i sgidiau adawodd olion yn y tirlithriad ar y traeth pan ddaeth corff Branwen Williams i'r fei.' A dyna ni. Dyna'r cyfle yr oedd Moi Saim ei angen.

Dau air pwysig neidiodd o'r frawddeg a llosgi twll yng nghlustiau Moi. Wedi blynyddoedd o hwylio'r moroedd mawr a stopio mewn sawl porthladd, bron na fyddai Moi yn gallu bod yn fywgraffiadur o seicoleg dynol ryw. Am flynyddoedd, mi oedd darllen pobol a'u cymhelliant yn rhan annatod o'i fodolaeth, yn rhan o pwy oedd yn rhaid iddo fod er mwyn goroesi ar long yn llawn dynion eraill am fisoedd ar y tro. Pobol dda a phobol ddrwg, a'r rhan fwyaf rhywle yn y canol, ar ryw dir comin niwlog nad oedd modd ei ddisgrifio'n iawn mewn geiriau. Mi oedd yna wastad bobol dda yn gwneud pethau drwg, a phobol ddrwg yn gwneud pethau da. I geisio gweld trwy'r niwl ar y comin hwnnw a phenderfynu ar pa begwn oedd pwy bynnag, rhaid oedd dysgu gwrando ar *bob* gair yn ogystal â darllen wynebau ac ymestyn y clyw i glywed synau cudd mewn unrhyw frawddeg.

'*Tebyg iawn?* Efallai'i bod nhw'n debyg iawn – ond tydyn nhw ddim yr union yr un fath â'r esgidiau dach chi'n chwilio amdanyn nhw felly nachdyn?' Mi gafodd Moi ofyn ei ail gwestiwn, cwestiwn laniodd fel gordd yn sgwâr ar drwyn Yvonne Ashurst. Damia, meddai hi wrthi'i hun. Diofal, doedd hi ddim wedi fframio'r cwestiwn yn ddigon tynn ac oherwydd hynny mi oedd hi wedi dangos gormod o'i chardiau i'r dyn dros y ffordd iddi. Mi oedd angen newid trywydd yn gyflym.

'Oeddach chi'n nabod Branwen Williams?'

'Nabod hi ran i gweld. Merch Breian a Kathleen Hen Felin. Mi o'n i'n mynd yno i dorri gwellt yr ardd weithiau os o'n i adra o'r môr – pres peint handi.'

'Pa mor amal oedd hynny?'

'Gweddol amal, ella hyd at ryw ddwy flynedd cyn i'r hogan fynd ar goll.'

'Ond go brin bod teulu Hen Felin yn gwybod fod eich enw chi ar y Sex Offenders Register?'

Bang. Roedd y stori'n dechrau ffurfio, meddyliodd Moi. Damia. Boi ar y Register yn torri gwellt yn nhŷ yr hogan fyddai'n diflannu chydig wedi hynny. Mi lyncodd boer sych grimp a hwnnw'n glynu i'w wddw cyn mentro ateb.

'Nôl yn 1978 odd hynny, doedd yn enw fi ddim i fod yn fanno yn y lle cynta.' Am eiliad, mi feddyliodd Ashurst ei bod yn synhwyro rhyw wendid yng nghadernid y dyn yr ochr draw i'r ddesg. Fyth ers y cyhoeddiad am y corff yn dod i'r fei, mi oedd Moi wedi amau'n gryf y byddai'r hyn ddigwyddodd yn Folkestone yn 1978 yn dod yn ôl i'w frathu ac ar hyn o bryd mi oedd y brathiad yn brifo fwy nag yr oedd wedi'i ddychmygu.

'Derek, evidence bag 903 please,' oedd y geiriau nesaf yn yr ystafell. Ond y tro hwn, doedd dim sôn am sŵn esgidiau Derek yn croesi'r llawr tuag at y ddesg. Dim ond ei sŵn yn chwilio ac yn tyrchu trwy'r sachau plastig yn y bocs tystiolaeth oedd i'w glywed.

'I can't find it, ma'am,' meddai Derek. Trodd Ashurst yn ei chadair i'w wynebu.

'Look again, it must be one of the smaller bags, it only contains a necklace and a silver cross. Take a proper look.' Doedd Moi Saim ddim yn siŵr os mai rhyw fath o dric oedd hwn, rhyw gyfle i greu rhyw fath o sefyllfa lle'r oeddan nhw'n digswyl iddo fo sôn am ryw gadwyn neu o bosib gyfadda ei fod o'n gwybod mwy na'r hyn oedd o'n ei ddweud. Mi edrychodd ar yr ymbalfalu o'i flaen a suddo yn ôl i'w sedd, cau ei lygaid a dianc yn ôl i'r diwrnod poeth hwnnw yn Folkstone yn 1978.

'Bloodly hell, Derek!' oedd y geiriau o ben arall yr ystafell. Mi oedd Yvonne Ashurst wedi neidio o'i sedd ac ar ei phengliniau ar lawr yn tynnu pob dim allan o'r bocs tystiolaeth. 'I told you to get everything out of the safe in Porth Milgi and just to bring them straight here!' Er gwaetha ymdrechion y ddau, wedi bron i bum munud o chwilio, mi oedd hi'n amlwg nad oedd un o'r bagiau tystiolaeth pwysicaf, os nad y darn pwysicaf un o'r hyn oedd ganddyn nhw, i'w weld yn unman.

'Dim eto, dim llanast i mi eto,' meddai Yvonne Ashurst dan ei gwynt.

'Pardon?'

'Nothing,' gwaeddodd y DI yn ei wyneb, 'take him back to the cell, stop the voice recording while you're at it and then call Iolo in Porth Milgi to ask if he's seen an evidence bag in a bloody murder investigation hanging about anywhere!' Mi oedd llais y ditectif yn mynd yn uwch ac yn uwch wrth iddi nesáu at ddiwedd ei phregeth ac wrth i Derek roi'r cyffion yn ôl am ddwylo Moi Saim a'i arwain o'r stafell. O fewn llai na deg munud o holi, gadawyd Yvonne Ashurst yn gwbl waglaw, wrth i'r unig un yr oedd ganddi ddigon o amheuaeth i'w arestio grafu ei ben mewn dryswch llwyr.

27

Moped

Gwichian fel mochyn bach ar dop ei lais – dyna'r union sŵn yr oedd injian ddwy strôc moped Babo yn ei wneud wrth iddo anelu am adra. Mi oedd o'n gwybod y byddai'i fam wedi paratoi swper ac y byddai hwnnw yn barod ar fwrdd nymbyr nain Stad Cae Gwyn erbyn iddo gyrraedd. Dyma oedd bywyd i Robat Berwyn Owen, llond ceg o enw oedd wedi ei fyrhau i Babo i wneud bywyd yn haws i bawb. Codi, neidio ar y beic, shifft yn y ffatri baent yn dre ac wedyn yn ôl i Borth Milgi. Efallai fod y gwynt a'r glaw a phob math o dywydd yn colbio ei helmet a'i feic drwy'r flwyddyn ar y teithiau rheini, ond doedd yr un ohonyn nhw fyth yn ddigon cryf i olchi'r aroglau paent o'i ffroenau.

Cymysgu oedd o'n wneud – *Paint Refining Operations Officer* oedd ei deitl swyddogol. Yn syml, mi oedd hynny'n golygu gwneud yn siŵr bod y lefelau o liw cywir, trwch paent a pha mor llyfn oedd y stwff wastad yn aros yn gyson. Doedd o mewn difri ddim yn gwneud dim o hynny – mi oedd yna gyfrifiadur mawr wrth ochor pob pwced 20 tunnell o baent yn gwneud y gwaith caled. Cyn belled â bod y rheini ddim yn torri, doedd yna fawr o ddim i Babo wneud. Unwaith y byddai'r gwaith cymysgu wedi dod i ben, agorai gwaelod y pwcedi anferth i adael i'r paent lifo i lawr un cafn anferth

– ac yna byddai'r paent yn teithio i lawr hwnnw cyn cael ei ddosbarthu i'r tuniau oedd yn mynd heibio mewn un cylch cyson ar felt hir o dan y cafn. Mi oedd yna ddrysau bach ar hyd y cafn fyddai'n agor a chau ar ôl i gyfrifadur arall mewn rhan arall o'r adeilad benderfynu bod pob un tun paent yn gyfartal o ran cynnwys.

Ar ôl i'r pwcedi anferth wagio, dim ond wedyn y byddai'r gwaith budur yn dechrau i Babo. Gorfod sefyll y tu mewn yn gwthio brwsh oedd â llafn rwber mawr ar ei flaen, yn crafu unrhyw baent oedd wedi glynu i'r gwaelod. Dyma pryd y byddai'r aroglau yn treiddio i bob modfedd o'i gorff. Aroglau paent a'r holl gemegolion yn glynu fel caci mwnci – ond yn y croen yn hytrach na dillad. Dyna pam yr oedd Babo yn eillio pob tamaid o flewyn o'i wallt brown tywyll – doedd dim pwrpas cadw rhywbeth oedd yn denu ac yn sugno'r aroglau. Y fantais arall i hynny oedd ei bod hi'n haws cael helmed y moped ar ei ben yn gyflym. Talu rhent i'w fam a thalu i gadw'r beic ar y lôn oedd yr unig reswm dros y joban yn y ffatri baent. Byddai, mi fyddai wedi gallu dilyn unrhyw gwrs NVQ neu GNVQ neu unrhyw set o lythrennau eraill dan haul ar ôl Ysgol Cae Garw – ond mi oedd y syniad o ennill arian go iawn yn gwneud llawer iawn mwy o synnwyr. P'run bynnag, ar y we fyd-eang, trwy fynd ymhell o Borth Milgi heb orfod gadael Stad Cae Gwyn, yr oedd Babo yn byw go iawn.

Doedd yr ysgol ddim wedi cael y gorau o Babo a Babo heb gael y gorau o'r ysgol. Dweud y gwir, yr unig beth oedd wedi cynnal ei ddiddordeb yn y blynyddoedd olaf yn Ysgol Cae Garw oedd cael gweld Miss Louise Ellis yn ddyddiol. Wedi dysgu ei hun am y byd trwy'r we yn ei amser adref ar ei ben ei hun oedd Babo. Wedi dysgu am y byd a'i frawd trwy Wikipedia a syrffio di-ben-draw ar Google. Fel plentyn ar deth ei fam, y we oedd yr unig laeth oedd Babo ei angen trwy'i blentyndod. Mi oedd o'n sylweddoli mai fo oedd un o blant cynnar y byd newydd hwn. Oherwydd hynny, wnaeth o erioed deimlo fod yr ysgol nac unrhyw arholiad wedi gofyn y cwestiynau iawn. Doedd yna ddim cyfle i drafod neu rannu gwybodaeth am rywbeth gwahanol i'r hyn oedd yn cael ei roi o'u blaenau yn y dosbarth. Dim ond dysgu'r stwff hwnnw oedd ei angen cyn mynd ati wedyn i chwydu bob dim ar bapur prawf neu arholiad. Doedd Babo ddim am fod fel y defaid eraill o'i gwmpas yn yr ysgol. Doedd darllen llyfr neu gofio rhyw ddarn o gerdd yn golygu dim. I be? Pwy yn unrhyw le fyddai'n gofyn iddo fo am ryw eiriau ddudodd William Shakespeare gannoedd o flynyddoedd yn ôl? Sut goblyn oedd gwneud algebra neu rannu hir neu greu *pie-chart* yn mynd i helpu Babo trwy'i fywyd? Toeddan nhw ddim – mi oedd o'n gwybod hynny. Felly tra roedd pawb yn yr un dosbarth yn pori yn yr un cae a byth yn codi'u pennau i weld y darlun mwy, mi oedd Babo yn gwneud be oedd ei angen a dim mwy er mwyn cael gadael yr ysgol. Wedi hynny, yn ôl ar Stad Cae Gwyn, mi fyddai'n dysgu ei hun am bethau go iawn fel y farchnad stoc, cyfraddau llog, hanes Cymru, ffrwydriadau yn creu y gofod, y bydysawd. Mi oedd hi'n haws o lawer iddo fo roi cyd-destun i bethau go iawn wedyn yn hytrach na rhyw gyd-destun TGAU cul a diwerth.

Wrth i injian y moped wthio yn erbyn y gwynt tuag at Borth Milgi, mi oedd yna law mân yn dechrau glynu wrth ei helmet. Eisoes mi oedd o'n meddwl am y noson o'i flaen ar y we, o'i lofft. Cystadlu bob nos mewn rhyw gwis yn rhywle oedd trefn pethau, cwis a gâi ei gynnal gan rywun mewn unrhyw wlad yn y byd. Yn barod y flwyddyn honno mi oedd o wedi gwneud celc go lew o Bitcoin neu arian sychion yn ennill sawl cwis. Os nad oedd o'n cystadlu, mi oedd o'n prysur ennill cynulleidfa ar ei sianel YouTube – babo401 – yn rhoi cyngor ar sut i chwarae rhyw gêm gwis neu sut i fynd ati i gael gwell hwyl arni ar Minecraft. Doedd o ddim wedi bwriadu mynd i lawr y lôn honno o gwbl, ond am fod Dic Leion wedi dweud nad oedd o'n cael bod yn rhan o unrhyw dîm cwis yno byth eto, doedd dim dewis ond mynd ati i chwilio am ffyrdd eraill o wneud cash. Erbyn hyn, mi oedd gan Babo bron i wyth mil o bobol yn ei ddilyn ar YouTube ac mi oedd o, oherwydd hynny, wedi dechrau ychwanegu at yr arian yr oedd o'n ei wneud ar y we. Oherwydd yr arian gan y cwmnïau oedd yn hysbysebu ar ei dudalen, mi oedd o wedi gallu prynu pedwar camera i'w gosod yn ei ystafell er mwyn gallu amrywio'r edrychiad yn ei fideos. Instagram, Snapchat, TikTok – mi oedd babo401 wedi dod yn giamstar ar y rheini hefyd er mwyn gwerthu yr hyn oedd o'n gynnig. Dim yn ddrwg, meddai wrtho'i hun, i foi sy'n gweithio mewn ffatri baent.

A'r dre ymhell y tu ôl iddo, mi oedd Babo yn nesáu at Borth Milgi. Ar gyrion y pentra, wrth yr arwydd cyfarwydd yn dweud PORTH MILGI, mi welodd fod yna gar du o'i flaen a goleuadau coch y brêcs yn amlwg iawn. Mae'n rhaid fod rhywun yn sgwrio'r car yma'n lân meddyliodd wrtho'i hun. Er fod y glaw mân yn gwneud pethau'n anodd iawn, mi welodd ferch weddol dal yn mynd i mewn i'r car. Wrth i Babo fynd heibio, mi drodd i edrych dros ei ysgwydd chwith i'w gweld hi yn plygu i lawr i'r sedd cyn cau'r drws. Mi drodd yn ôl i ganolbwyntio ar y lôn o'i flaen unwaith eto. Ond wedyn. Na. Dim hi oedd hi. Wrth i'r lôn o'i flaen fforchio, i'r chwith am draeth Porth Milgi neu'n syth ymlaen am weddill y pentra a'r lôn i Aberddwybont, tynnodd y beic i'r ochor a rhoi ei droed chwith ar lawr i ddod i stop. Kelly Owen meddai Babo yn ei ben. Er gwaetha'r glaw ar ei helmed a'r ffaith bod ei feddwl wedi bod yn crwydro, mi fyddai'n taeru ei fod wedi gweld Kelly yn mynd i mewn i'r car mawr du.

Aeth y car heibio i'r dde, ar hyd y ffordd fawr. Mewn chwinciad chwannen, penderfynu ei fod am ddilyn y car wnaeth Babo. Gan aros yn ddigon parchus yn ôl o ran pellter, mi wyliodd y car o'i flaen yn mynd heibio i'r tai mawr yng ngwaleod y pentra, heibio'r neuadd, heibio i Gapel y Gad, y Leion, y troad am Stad Cae Gwyn ac ymlaen am Aberddwybont. Erbyn hyn mi oedd pen Babo wedi'i chwalu. Oedd o wedi gweld yn iawn? Ai Kelly oedd wedi mynd i mewn i'r car? Oedd ei swper o'n mynd yn oer ar y bwrdd? Pam goblyn fod o wedi penderfynu dilyn y car p'run bynnag? Lle ddiawl oeddan nhw'n mynd? Heblaw am le gwerthu ffid teulu Jac-Do ac ambell i fferm, doedd dim arall rhwng y fan hyn ac Aberddwybont rŵan... heblaw am... y Mans! Yr eiliad nesa, mi oedd y car yn troi i mewn rhwng y coed tal, tywyll, bygythiol ac i lawr lôn fach y Mans.

Ar ôl rhoi'r beic i orffwys yn ofalus ar y cilbost concrid mawr crwn agosa at Borth Milgi, mi dynnodd Babo ei helmed a'i gadael ar y sedd cyn dechrau dilyn y ffordd tuag at y Mans. Doedd bol buwch ddim ynddi hi. Rhwng y coed trwchus bob ochr i'r ffordd a'r ffaith nad oedd yna fawr o leuad, bron nad oedd hi'n amhosib iddo weld ei draed. Penderfynu dilyn llinell y coed ar y chwith i'r ffordd wnaeth o, yn hytrach na cherdded i lawr y lôn ei hun. Doedd hynny ddim yn help gan fod y gwellt a'r deiliach oedd wedi disgyn o'r coed yn llithrig, ond gwell hynny na chael ei ddal. Doedd hi ddim yn ffordd hir iawn; roedd y coed yn dod i ben yn sydyn a'r ffordd wedyn yn troi i'r chwith fymryn ac yno ar bwt o allt oedd y Mans ei hun. Digon o le i ddau gar barcio'r tu allan a throi rownd heb drafferth. Mi oedd o wedi casáu'r lle erioed, fel rhyw dŷ y byddai'r Addams Family wedi byw ynddo, pwt o ryw dŵr castell ar y gongl agosa i'r pentra yn rhoi llygad feirniadol dros Borth Milgi. Ffenestri tal llydan ymhob man, y tu allan wedi ei chwipio efo cerrig llwyd digymeriad a'r gwaith pren oedd yn dal y peipiau a'r landeri i gyd wedi eu paentio'n ddu – er mai'r aroglau paent o gorff Babo oedd yr agosa iddyn nhw ddod at gôt ers degawdau.

Mi aeth Babo ar ei gwrcwd y tu ôl i'r car yr oedd o wedi ei ddilyn a theimlo'r gwres o'r injan a'r teiars. Wrth bwyso ar ben blaen y car efo'i ysgwydd edrychodd i gyfeiriad y tŷ lle'r oedd y golau newydd ei roi mlaen uwchben y drws ffrynt mawr. Yn wahanol i weddill y tŷ, mi oedd y drws yn un hardd, traddodiadol efo ffenestr liw hyfryd yn un slaban yn ei ganol. Daeth goleuadau ymlaen mewn ystafell oedd â dwy ffenestr fawr. Y parlwr, meddyliodd Babo. Gan aros ar ei gwrcwd, mi symudodd fel chwaden ar draws yr iard fechan a dod i stop o dan un o'r ffenestri mawr. Â blaen ei fysedd ar y sil ffenest, mi gododd ei ben yn betrusgar araf i gael gweld y tu mewn. Bang! meddai'r glec yn ei ben wrth gael cadarnhad mai Kelly Owen yr oedd o wedi ei gweld yn mynd i mewn i'r car. Mae'n rhaid felly mai car Parry Pregethwr ydi hwn, meddyliodd. A'r eiliad nesaf, mi gafodd Babo gadarnhad o hynny. Trwy'r drws ar y dde i'r stafell mi ddaeth Parry Pregethwr i mewn ac yna mi edrychodd am y ffenestri!

***

Edrychodd John Parry allan trwy'r ffenestr, rhag ofn. Er fod ei gastell yn ddigon pell o'r pentra i guddio pechodau, doedd hi ddim yn ddrwg o beth iddo fod yn nerfus ar y nosweithiau yma. Dyma un o'r nosweithiau achlysurol pryd y byddai'n ymddiried ac yn talu'n ddel i gael gwasanaeth ychwanegol gan ferched yr oedd o'n teimlo y gallai ymddiried ynddyn nhw. Caeodd y cyrtans a throi at y ferch yn ei barlwr cyn dechrau cynhyrfu.

***

Damia, meddai Babo ac mi drodd ei gefn a llithro i lawr mor gyflym ag y gallai a glanio ar ei din ynghanol cerrig mân lôn y Mans. Mi gaeodd ei lygaid cyn dal ei wynt. Ond ddigwyddodd yr un dim. Ymhen hir a hwyr, mi gododd ei ben i edrych drwy'r ffenest unwaith eto. Tywyllwch. Wedi dod i gau'r cyrtans oedd Parry, yn hytrach na dod i felltithio Babo. Mi gododd yn sydyn a dechrau sleifio'i ffordd yn ôl at y ffordd fawr a'r beic ffyddlon fyddai'n mynd â fo'n ôl i ddiogelwch cysurus Cae Gwyn.

28

Kiev

MOI SAIM. DYNA'R unig beth oedd ar feddwl Callum wrth iddo orwedd ar ei wely yn synfyfyrio a darllen manylion diddim to ei ystafell. Wel, na, doedd hynny ddim cweit yn wir. Mi oedd o hefyd yn meddwl am Kelly a'r ffaith ei fod o wedi brifo ei theimladau hi. A dweud y gwir, mi oedd popeth yn gachfa. Tybed be oedd Moi Saim yn ei wneud ar yr eiliad yma? Oedd o wedi cyfadda ei fod o wedi lladd Branwen Williams? Pa dystiolaeth oedd gan y plismyn? Mae'n rhaid fod ganddyn nhw eitha lot o gofio eu bod nhw wedi hedfan i mewn i Cae Gwyn fel sawl mellten las? Gormod o gwestiynau a dim ateb i ddim un, dyna'r peth gwaetha.

Oedd y dyn yr oedd o wedi ei weld fel tad yn llofrudd? Moi Saim y dyn doeth, y dyn oedd efo ateb i bopeth ac oedd bob tro yn cynnig cysur a gair i gall? Moi yr athro pysgota, y sgolar hela – pob un o sgiliau bywyd Callum, pob un wedi eu hadu gan Moi Saim ar hyd y blynyddoedd. Wrth i'w feddyliau droi fel hyn, mi oedd yna luniau clir iawn yn ffurfio i Callum. Sefyll ar draeth Porth Milgi a'r môr fel llyn llefrith o'i flaen ar noson chwyslyd o bleserus yn haul mis Mehefin. Moi wrth ei ochr yn ei ddysgu sut i daflu'r wialen yn y ffordd iawn. Sawl noson wedi'u rowlio'n un atgof? Yntau un noson glir sydd wedi aros yn y co? Doedd

Callum ddim yn siŵr a doedd dim ots. Tywyllwch perfedd Coed Bodlondeb yn un arall, gorwedd ar ei fol ynghanol dail rhedyn yn crino wrth aros yn eiddgar i Moi ddychwelyd o fod yn chwilio am Wilias Cipar. Dilyn ei ddynwarediad o chwiban tylluan wedyn nes ei fod yn dod o hyd iddo. Moi wedyn yn dangos sut i ryddhau'r gwningen o'r snêr a'i lladd yn gyflym trwy droi'i gwddw'n gyflym fel nad oedd hi'n diodda. Eistedd yn y cwt wedyn, palas Moi, yn rhannu sgwrs a smôc. Gwrando fyddai Callum gan amlaf, yn glustiau i gyd wrth i Moi ddisgrifio rhai o'r porthladdoedd a'r dinasoedd yr oedd o wedi ymweld â nhw dros y blynyddoedd. Efo'i ddwy law y tu ôl i'w ben a'i lygaid ar agor led y pen, allai Callum ddim ysgwyd y teimlad fod Moi wedi ei fradychu gan rywun neu rywbeth. Ond eto, doedd dim oll o'r hyn oedd yn digwydd yn gwneud synnwyr o fath yn y byd. Ping. Neges yn cyrraedd y ffôn yn ei boced.

CYFARFOD YN LEION NOS FORY. DIM ESGUS GAN YR UN OHONA CHI Y BASDADS. MA HYN YN UFFERNOL!!

Be ddiawl sy'n bod ar hwn rŵan oedd y peth cyntaf ddaeth i feddwl Callum wrth iddo ddarllen neges Babo. Edrychodd ar y sgrin am amser hir yn meddwl a oedd Babo yn teimlo'r un storm yr oedd Callum yn ei theimlo y tu mewn i'w stumog o. Go brin. Wrth stwffio'i ffôn yn ôl i'w boced, mi oedd yna gnoc gyfarwydd ar ddrws ei stafell cyn i'r llais cyfarwydd ei dilyn,

'Hei Cal, ga'i ddod i mewn?' Cysur mawr ddaeth drosto wrth glywed llais ei fam.

'Cei siŵr.'

Roedd gan Doreen nymbyr ffaif groen gwelw, llyfn; ei

hwyneb yn cael ei fframio'n berffaith mewn bob o wallt du. Doedd yr un blewyn byth o'i le a'i gwallt yn dal yr un lliw â'r fagddu. Eisteddod i lawr ar y gwely wrth ochr ei mab, rhoi ei llaw ar ei dalcen a rhwbio'i bawd yn gariadus ar ei hyd. Gwenodd.

'Alla'i ddim coelio bod y mabi fi yn un deg saith oed,' gan wybod yn iawn bod ei mab angen cysur mam. Gwenodd Callum ar yr angor arall yn ei fywyd.

'Ti'n meddwl bod Moi Saim 'di lladd yr hogan 'na, mam?' Mi oedd Callum wedi synnu ei hun fod y cwestiwn wedi dod o'i geg mor blaen. Ochneidiodd ei fam.

'Alla'i wir ddim deud wrtha chdi. Ti'n meddwl bo chdi'n nabod rywun weithiau, nabod nhw'n well na chdi dy hun bron, a wedyn un diwrnod ti'n gweld yr ochr arall iddyn nhw – gweld rhywbeth newydd yn gliriach na welist di'r un peth arall yn dy fywyd. Ti'n flin efo chdi dy hun wedyn am beidio gweld be odd yno o dy flaen di drwy'r adeg ond bo chdi wedi dewis peidio gweld yr ochr yna, neu bod chdi ddim 'di *gallu* gweld yr ochr arall odd yn amlwg i bawb arall.' Mi oedd Callum yn gwrando'n astud ar ei fam yn siarad mwy o sens na'r oedd o erioed wedi'i glywed ganddi o'r blaen, er doedd o ddim yn siŵr os mai Moi Saim a'i sefyllfa oedd yn cael ei sylw.

'Be sy'n bwysig i chdi gofio ydi pa mor ffeind mae Moi wedi bod efo chdi ar hyd y blynyddoedd. Doedd yna ddim byd yn ormod iddo fo byth cofia. Pob tro odd o adra o'r môr, un o'r pethau cynta fyddai o'n neud odd dod yma i neud yn siŵr bod ni gyd yn iawn a rhoi cyfla i chdi a Carl gael ryw antur bach bob hyn a hyn. Mi odd hynny'n golygu hefyd mod i'n cael pum munud hefyd, cofia, felly mae gin innau le mawr iawn i ddiolch i Moi Saim. Os ydi o wedi gneud rwbath, dwi ddim yn meddwl mod i na chdi wedi gweld yr ochr yna iddo fo rioed – a dyna'r unig beth alli di ganolbwyntio arno fo ar hyn o bryd.'

Mi eisteddodd y ddau yno mewn distawrwydd am ychydig, cyn i Callum ailafael yn y sgwrs.

'Dwi'n meddwl am Mrs Williams Hen Felin…'

'Finna hefyd' meddai'i fam, a gwasgu llaw Callum efo cysur, cyn iddo gael cyfle i gario mlaen, 'alla'i ddim dychmygu yr uffarn newydd mae hi ynddo fo ar ôl bod yn byw un uffarn hir am bron i ugain mlynedd.'

'A pawb yn fan hyn yn deud i bod hi ddim yn gall, bod hi'n crwydro Porth Milgi ar i phen i hun yn y nos; ond ma bob dim mor glir rŵan. Chwilio am i merch odd hi.'

'A nath hi erioed stopio chwilio a dwi meddwl bod hynny'n rhan o'r rheswm pam bod y storm 'di dangos i'r byd lle'r odd hi y noson o'r blaen,' ychwanegodd Doreen.

'Be ti'n feddwl?'

'Dwn im, dwi'n meddwl bod y gwpan wastad yn grwn, mae bob dim yn digwydd am reswm. Mi odd y storm yna i fod i dynnu corff Branwen o'r pridd, mi odd hi'n barod i ddweud i stori ma raid.'

Wrth i'r ddau bendroni am yr hyn yr oeddan nhw newydd ei drafod, mi ddechreuodd Callum grwydro yn ei ben unwaith eto. Petai Branwen yn gallu siarad, be fyddai'n ddweud? Petai hi ond wedi gadael unrhyw beth yn rhywle i esbonio be oedd wedi digwydd, efallai y byddai hynny'n profi nad oedd gan Moi Saim ddim oll i'w wneud â'i diflaniad hi? Neu mi allai hi brofi mai fo oedd yr un wnaeth ei llofruddio? Doedd dim byd o gwbl yn gwneud synnwyr, ac eto mi feddyliodd amdani yn gorwedd yno, yn cael llonydd yn y pridd a'r tywod uwchben y traeth. Mi gafodd hi ddianc o Borth Milgi pan oedd hi tua'r un oed â Callum ond eto wnaeth hi erioed adael. Mygu wnaeth o ar y syniad yna; allai Callum ddim meddwl am sefyllfa waeth i fod ynddi. Wedi gallu dianc ond eto'n dal yn sownd yma, am byth.

'Callum,' meddai llais ei fam yn ei dynnu yn ôl i'w ystafell wely, 'be tisho i swpar? Ma Carl di gofyn am chicken kiev, chips a pys. Tisho yr un fath i fi gael gwybod faint o datws i blicio?'

'Ym, ia iawn,' atebodd Callum heb feddwl am eiliad bod y graduras wedi bod ar ei thraed drwy'r dydd yn ffrio chips yn dre fel oedd hi.

'Iawn ta,' meddai gan godi oddi ar y gwely. Mi edrychodd o amgylch ei stafell a gweld pa mor llwm oedd y waliau. Heblaw am hen boster o Steven Gerrard yn codi cwpan Ewrop yn Istanbul yn 2005, doedd yna fawr ddim arall lliwgar o gwmpas. Desg yn y gornel, silff lyfrau uwch ei phen a dim mwy na chwe llyfr, wardrob fawr wen oedd yno ers blynyddoedd, *bean-bag* brown a'r cyfan ar ben carped oedd yn las ryw dro. Mi sugnodd Doreen y cyfan i'w hysgyfaint.

'Dwi 'di bod yn fam ok, do Cal?' Mi orfododd y cwestiwn i Callum neidio yn syth ar ei draed o'r gwely.

'Hei, do, yr orau yn y byd,' oedd ei eiriau a gafaelodd amdani. Wnaeth yr un o'r ddau symud am rai munudau. Dim ond sefyll yno, yn stafell wely Callum yn nymbyr ffaif Stad Cae Gwyn yn dal yn dynn yn ei gilydd.

Yn yr eiliadau rheini wrth geisio gwneud synnwyr o bob dim oedd yn mynd trwy'i ben, mi wthiodd Callum yr un cwestiwn oedd wastad yng nghefn ei feddwl i du blaen ei benglog, cwestiwn oedd o wedi'i ofyn droeon o'r blaen, a'i roi ar lwyfan ei dafod unwaith eto.

'Pwy 'di nhad i, mam?' Mi ddaeth y cwestiwn allan a fyntau

a'i ên yn pwyso ar ysgwydd ei fam, felly doedd hi ddim yn gallu gweld ei wyneb. Y cwestiwn yr oedd hi wastad yn ei gasáu a'i ofni. Mi oedd Doreen yn falch nad oedd o'n gallu gweld ei hwyneb hithau, gan ei fod yn gymysgedd o siom, ofn a dicter. Anadlodd yn ddwfn, ac efo llawes ei siwmper, mi sychodd ei grudd cyn datgloi o freichiau'i mab er mwyn cael edrych i fyw ei lygaid.

'Dwi ddim yn meddwl mai rŵan 'di'r amser gorau i gael y sgwrs yna, sdi.'

'Sori mam,' oedd ymateb Callum a fyntau yn flin uffernol efo'i hun am ddwyn yr eiliad yma rhyngddyn nhw ill dau, 'dwi'n gwbod bod ni wedi gneud yn champion hebdda fo a chdi ydi'r person gora, cryfa, calla dwi'n nabod, jyst efo bob dim rŵan a Moi Saim a ballu a jyst, o dwn im, sori am ofyn a brifo chdi mam.'

'Plis paid â deud sori, dwi'n gwybod mod i wastad yn osgoi atab – a ma 'na sawl rheswm am hynny. I fi, dydi o ddim yn bwysig – dan ni wedi gneud yn well na iawn hebdda fo. Sgin i ddim rheswm i guddio dim byd oddi wrtha chdi na Carl a dwi'n gwbod mod i 'di gaddo deud o blaen ond dydi'r amsar ddim yn iawn rŵan chwaith. Mi gei di dy atebion, go iawn Cal, yn fuan iawn – dwi'n addo.' Mi edrychodd Callum ar y ddynes dri deg a thair oed o'i flaen a diolch i'r drefn ei bod hi'n fam iddo cyn mentro i ofyn ei gwestiwn mawr ola.

'Ond dim Moi Saim ydi o?' Mi dynnodd Doreen yn ôl o freichiau ei mab er mwyn edrych i fyny ac i lawr ar y dyn ifanc yr oedd hi wedi'i fagu.

'Mi alla'i atab hwnna i chdi a'r ateb ydi dim Moi ydi dy dad di!'

Mi drodd Doreen at y drws cyn troi ei phen yn ôl am y stafell i glywed Callum yn dweud wrthi,

'Dwi'n falch, am funud o'n i'n sâl yn meddwl bo fi'n hanner

brawd i Saim Bach!' Chwerthin yn uchel wnaeth y ddau a gwenu ar ei gilydd cyn i Doreen fynd i baratoi chips, pys a chicken kiev.

29

Bocelli

ANDREA BOCELLI OEDD hoff ganwr Saim Bach ac mi oedd
Andrea yn gwmni cyson iawn i Alwyn Arwel Hughes yng
nghab tractor y New Holland. Er nad oedd o'n hogyn clyfar
iawn ar unrhyw bapur ysgol, doedd neb cystal am ffermio
ymysg ffermwyr ifanc yr ardal. Fferm Nant, fferm ei rieni
Elwyn a Lizi, oedd ei diriogaeth a'r unig le yn y byd lle y gallai
ddweud heb eiliad o amheuaeth yr oedd yn ei adnabod fel cefn
ei law. Roedd o'n gymeriad annwyl a phwyllog, byth ar frys,
a doedd dim byd byth yn ormod o drafferth. Chwerthin ar
unrhyw sefyllfa fyddai'n mynd o chwith oedd ateb Alwyn i
bopeth. Saim Bach oedd ei ffrindiau yn ei alw, a gweddill y
pentra siŵr o fod, a doedd hynny hyd yn oed ddim yn ei boeni.
Elwyn a Lizi oedd ei rieni a doedd neb swyddogol wedi dweud
yn wahanol wrtho fo. Y nhw oedd wedi ei fagu a rhoi popeth
iddo fel unig blentyn Nant, felly doedd yna ddim diben i feddwl
am unrhyw beth arall y tu hwnt i hynny yn ei feddwl o.

Cadw'r Nant yn edrych fel pin mewn papur a chael cyfle
i fynd i'r Leion o leia unwaith yr wythnos oedd yr unig beth
oedd ei angen ar Saim Bach. Fferm gwartheg magu oedd hi'n
bennaf, er fod yna ddefaid yn cael eu cadw hefyd. Rhwng
pob dim, mi oedd hi'n fferm o ryw gant ac ugain o aceri. Y
caeau gweddol wastad oedd yn rhedeg wrth ochr y brif ffordd

i Aberddwybont oedd y caeau gorau, mi oedd yna ambell i barsel o dir yr oeddan nhw'n ei ddal nad oedd ym Mhorth Milgi ac mi oedd gweddill y tir yn rhedeg un ai i fyny neu i lawr. Un ai i lawr am y môr neu ar ychydig o ongl am i fyny wrth orwedd ar ochrau mynydd Graig Ddu. Wel, mynydd oedd yr enw yn lleol, doedd o ddim uwch na rhyw gant a deg o fetrau – lwmp o graig tua chant saith deg pump acer a hwnnw'n safle SSSI mewn sawl rhan. Hyd yn oed petae ei lygaid ar gau, mi allai Saim Bach weld pob un fodfedd o'r fferm a Graig Ddu yn glir yn ei ben. Doedd yr un gronyn o bridd nad oedd o wedi'i droedio.

Cae Bwrcas, Cae Llafn, Cae Ffynnon, Cae Poeth, Cae Top, Cae Dan Tŷ, Cae Drain, Cae Toman, Cae Llwybr, Cae Hogi, Cae Briwsion, Cae Rallt, Cae Cors, Cae Wengli, Cae Dryfol, Cae Traeth a Chae Trwyn. Yn Ffermdy Nant, mi oedd yna fap o'r caeau oedd yn mynd yn ôl ddegawdau, cant a hanner o flynyddoedd falla, a'r map hwnnw ar wal y parlwr. Ers pan oedd o'n ddim o beth, mi oedd edrych ar y map yn rhoi cysur mawr i Alwyn ac felly doedd ryfedd ei fod yn cofio pob un ac yn eu gweld yn glir yn ei feddwl bob tro.

Yng Nghae Trwyn oedd Andrea Bocelli a Saim Bach ar y pryd. Tocio'r gwrychoedd a mynd i'r afael â'r drain oedd y joban fawr heddiw. O'r eiliad yr oedd o'n gallu cerdded, mi oedd Saim Bach wedi bod ar liniau Elwyn Nant yn y tractor, yn gwel ac yn dysgu. Doedd dim na allai ei wneud ar gefn y bwystfil dur. Yn y blynyddoedd diweddar, a fyntau ond yn bymtheg oed, mi oedd o wedi ennill ras aredig Aberddwybont. Mi allai dynnu a chadw llinell berffaith syth trwy dunelli o bridd, gan wybod yn reddfol pryd i fynd yn galetach neu pryd oedd angen pwyllo. Roedd y llinellau y tu ôl i'w dractor yn ddarnau celf unigol. Y pridd wedi ei rowlio yn berffaith, gan greu'r rhychau yna mae rhywun yn eu cael wrth grafu menyn ar floc newydd sbon. Roedd ei waith yn golygu bod y llinellau pridd i gyd yn union yr un peth, fel petai'r tir ei hun yn berwi yn berffaith i dractor Saim Bach a llais Andrea.

A doedd yna neb cystal cwmni am dorri cloddiau chwaith nag Andrea Bocelli. Wrth i Saim ddilyn y *jungle buster* yn ofalus dros ei ysgwydd yn y cab, roedd llais y tenor yn cynnig rhyw sicrwydd a rhyw gadernid mawr. Cadwai'i law fawr gryf yn sownd ar yr olwyn, hoeliai'i lygaid gwyrdd ar du blaen y llafn wrth iddo reibio'r drain a'u malurio a sicrhau nad oedd un o'i gyrls gwallt coch golau yn disgyn o'u lle ac yn amharu ar ei olwg. Dyna'r dasg ar hyd sawl clawdd, ar hyd sawl acer, trwy sawl cae. Ac Andrea yn cadw trefn ar y cyfan. Cae Trwyn fyddai'r cae olaf i'w dorri cyn cinio ac mi fyddai Saim Baich wedyn yn cael llond ei fol ac Andrea yn cael llonydd ar ôl sawl awr o fod yn bloeddio drwy *speakers* y tractor o'i ffôn.

Wrth ddilyn y clawdd olaf oedd yn rhedeg ochr yn ochr â gwaelod mynydd Graig Ddu, a'r llafn ar y *jungle buster* y tu ôl i'r tractor yn gwneud ei waith yn dda, mi gafodd llygad Saim Bach ei dynnu i'r chwith. Yr ochr arall i'r clawdd, ar un o'r llwybrau cyhoeddus yn arwain i ben y graig, mi welodd ddau o bobol yn sgwrsio. Wel, mae'n debyg mai sgwrsio oeddan nhw. Mi oedd un â'i gefn at y tractor ond mi welai wyneb y llall yn glir. Cen Cem. Doedd dim modd iddo fod yn neb arall efo'r sbectol dew drwchus a'r mwstásh anferth ac oherwydd y ffaith nad oedd neb arall yn y byd yn gwisgo tanc top fel yna bellach, doedd dim dwywaith mai Cen Cem oedd hwn. Roedd o'n chwifio'i freichiau, yn nodio ei ben ac yn pwyntio'n wyllt at bwy bynnag oedd yn sefyll o'i flaen. Cafodd Andrea ei stopio yn y fan a'r lle ac erbyn hyn dim ond sŵn y *jungle buster* oedd i'w glywed yn rhwygo trwy'r cab.

Tynnodd Saim Bach y llafn oddi ar y clawdd gan nad oedd o bellach yn canolbwyntio.

Be oedd yn rhyfeddol oedd, er gwaetha'r sŵn o'r tractor, doedd Cen a phwy bynnag oedd yn ei gwmni ddim wedi symud na chodi eu pennau i gydnabod y ffaith bod tractor y New Holland yn agos. Ond mi oedd hi'n amlwg fod y ddau wedi eu sugno i mewn i sgwrs neu ddadl â'i gilydd, a ddim wedi meddwl symud rhag i goed drain hedfan tuag atyn nhw. Dyna pryd y gwnaeth Saim Bach ddiffodd y tractor, a dim ond ar ôl clywed y distawrwydd yn hollti'r awyr y gwnaeth y ddau ar y llwybr godi eu pennau. Agorodd Saim Bach ddrws y cab a sefyll ar y gris ucha un, cyn gweiddi dros y clawdd.

'Bob dim yn iawn, syr?'

Sioc a phanig lenwodd wyneb Cen Cem, a wnaeth o ddim hyd yn oed ateb. Trodd ar ei sawdl a throi ei gefn ar y tractor a cherdded i'r cyfeiriad arall. Dyna pryd y trodd y dyn tal arall ac edrych dros ei ysgwydd, cyn ateb,

'A, Alwyn Arwel Hughes yn brysur unwaith eto! Yndan, bob dim yn iawn yn fama sdi, cofia fi at dy fam a dy dad draw yn Nant 'na, nei di?' Ac mi gerddodd Parry Pregethwr yn hamddenol braf i lawr y llwybr i ddilyn Cen Cem. Doedd Saim Bach ddim wedi ei adnabod yn ei ddillad nad oedd yn ddillad capel. Fel arfer, mi fyddai Parry wastad mewn siwt lwyd neu ddu, a'r goler yn amlwg i bawb i'w gweld. Ond trowsus golau a chôt law felyn oedd ganddo heddiw.

Be oedd yn mynd ymlaen? Wrth gau drws y cab ac eistedd yn ôl yn y sêt, mi aeth Saim Bach ati i feddwl am yr hyn oedd o newydd ei weld. Mi oedd hi'n glir iawn yn ei feddwl bod y ddau yn dadlau neu yn cael rhyw fath o ffrae ddifrifol. Cen Cem a Parry Pregethwr. Doedd y peth yn gwneud dim synnwyr o gwbl. Chafodd Andrea mo'i glywed ar y daith yn ôl i Ffermdy Nant a chafodd y clawdd ddim mo'i orffen gan nad oedd Alwyn Hughes bellach yn canolbwyntio. Mi oedd ei ben yn troi wrth godi ac agor a chau y giatiau yn y caeau am adref y diwrnod hwnnw. Un peth oedd yn saff, be bynnag oedd gan Babo i'w ddweud wrthyn nhw yn y Leion y noson honno, fyddai ddim cystal stori â'r un y byddai ganddo fo i'w rhannu.

30

Leion

PAN OEDD ADDA ac Efa yn yr ardd, mi oedd Dic Leion y tu ôl i far y Leion. Er nad oedd modd profi hynny i sicrwydd, dyna'r oedd y rhan fwyaf ym Mhorth Milgi yn ei feddwl. O ganlyniad, doedd neb cweit yn siŵr faint oedd oed Dic. Stwcyn o ddyn byr oedd yn dal yn gallu rowlio casgenni llawn o'r selar. Wastad mewn crys a chardigan wlân drwchus, un arall o'r genhedlaeth brulcrim, oedd yn golygu nad oedd yr un blewyn gwyn o'i le a bod golwg amheus o du ôl i bympiau'r bar bob tro. Doedd neb yn siŵr chwaith be oedd y peth hynaf ym mar y Leion – Dic yntau'r pacedi Pork Scratchings, cnau a Scampi Fries oedd yn hongian ar y cardbord tenau roedd o'n eu harddangos o amgylch y bar. Dim ond lle i Dic oedd y tu ôl i'r pympiau. Ar ôl cael pedair casgen o'r selar a'u cysylltu, Dic a'r til oedd yr unig bethau oedd yn *gallu* bod yno. Roedd popeth wedi ei fframio mewn ffrâm bren sgwâr o liw melyn smocio. Er bod y gwaharddiad ar smocio wedi ei gyflwyno ers blynyddoedd, doedd Dic ddim wedi paentio, dim ond wedi gadael y lliw nicotin naturiol. Nid oherwydd unrhyw fwriad i roi rhyw deimlad *authentic* i'r fisitors oedd yn galw i mewn yn yr haf, ond am ei fod yn rhy ddiog ac yn ormod o gybydd i wario.

Mewn gwirionedd, dau dŷ teras wedi eu huno i greu tafarn

oedd y Leion a'r teimlad yno eich bod chi'n yfed ym mharlwr rhywun yn parhau. Doedd dim gardd gwrw yn y cefn. Doedd y lle ddim digon mawr i baratoi prydau bwyd. Tafarn wlyb yn unig oedd hi ac mi oedd hynny'n siwtio pawb i'r dim. Cysgu i fyny'r grisiau oedd Dic, yn gyfrifol am ei dŷ rhydd ei hun ac felly doedd dim pwysau arno gan ryw fragdy mawr yng ngogledd-orllewin Lloegr i newid dim byd. Pwmp i lager, dau fath o *bitter* a Guinness. Rhyw ddewis o hanner dwsin o bethau yn yr optics, lle tân, bwrdd darts, rhyw ddeunaw o fyrddau, un drws i mewn a dwy sêt dan y ddwy ffenestr oedd yn edrych allan am y lôn i Aberddwybont. Tafarn gwbl unigryw, a dyna pam ei bod hi'n llwyddo o hyd. Mi oedd pobol wedi cael llond bol ar yr holl dafarndai plastig newydd dienaid. Am nad oedd o'n gwybod yn wahanol yr oedd Dic heb newid dim, ond mi oedd hynny o'i blaid. Pluo'r saeson efo'i *oldy-worldy pub experience* yn yr haf a chadw'i ben uwchben y dŵr yn y gaeaf. Mi oedd modd gwneud hynny trwy gynnal noson gwis bob nos Fawrth a chynnal tîm darts ar nos Iau. Gan nad oedd 'na le i fwrdd pŵl yn y Leion, darts oedd yr unig opsiwn. O chwarae mewn cynghrair leol, mi oedd yna fynd a dod trwy'r gaeaf wedyn wrth i dimau eraill ymweld a chwyddo'r til unwaith pob pythefnos.

Awê yn erbyn tîm B y Queens yn dre oedd hogia'r Leion heno, felly mi oedd y bar yn wag hyd nes y cerddodd Callum, Babo, Saim Bach a Jac-Do i mewn. Rŵan, mi oedd Dic yn gwybod nad oedd yr un o'r rhein cweit yn êtin ond mi oedd o hefyd yn gwybod eu bod nhw'n ddigon agos at fod. Mi oedd un eisoes wedi ei wahardd o'r noson cwis ar nos Fawrth. Mi oeddan nhw'n hogiau call, ac ar ben hynny, mi oedd o'n gwybod na fyddai Iolo plismon yn dod yno i fusnesu heno. Mi oedd hwnnw'n brysur efo achos yr hogan fach, felly mi oedd y pedwar yma yn gyfle da iddo wneud swllt neu ddau. Wrth i'r pedwar nesáu at y bar, Jac-Do agorodd ei geg i ofyn am bedwar peint o Guinness. Mi deimlodd Dic eu rhyddhad pan wnaeth o dynnu'r pwmp a gadael i'r stwff du lifo.

Anelu am y bwrdd a'r bedair stôl agosa at y tân ac i'r chwith o'r bar wnaeth y criw. I'r chwith o'r simna oedd y drws i dŷ bach y dynion ac mi oedd hynny yn rheswm arall i eistedd yn y fan honno. Mi daflodd Jac-Do ddau baced o Scampi Fries i ganol y bwrdd wrth i bawb roi eu peintiau i lawr i'w hamgylchynu.

'Iechyd da,' meddai Babo cyn codi ei wydryn. Mi yfodd y pedwar ar yr un pryd a chael mwstásh gwyn twt iawn o dan eu trwynau. Wrth roi ei beint yn ôl i lawr ar y bwrdd, mi ddechreuodd Babo.

'Mi o'n i ar y ffordd adra o gwaith neithiwr, a fel o'n i'n dod i mewn i pentra, mi welis i gar du 'di stopio jyst tu allan i sein Porth Milgi efo gola brêcs coch mawr. Ella mod i 'di rafu chydig wrth fynd yn nes...'

'Iesu, faint o rafu fedri di neud ar yr injian wnïo 'na cyn iddi stopio'n llwyr?' oedd cwestiwn craff Jac-Do ac mi chwerthodd y criw cyn i Babo allu cario mlaen.

'Taw am funud a granda. Dyna pryd welis i rywun yn mynd i mewn i'r car du a nes i ddechra meddwl – na, fedar hynny ddim bod. Dwi 'di bod yn chwara lot ar yr Oculus VR headset newydd nes i brynu fis dwytha a dwi'm yn siŵr os ydi o 'di dechra chwalu'n llgada fi'n barod – felly mi o'n i'n ama fy hun.' Erbyn hyn, mi oedd y tri arall yn gwrando'n astud ac mi welodd y pedwar eu cyfle i gymryd swig arall o'u peintiau cyn i Babo allu cario mlaen.

'Gas gin i ama fy hun ac mi fyswn i 'di gneud hynny trwy

nos, felly odd raid i fi ddilyn y car.' Agorodd Jac-Do un o'r pacedi Scampi Fries a gadael i ogla pysgod lenwi'r bwrdd cyn dechrau cnoi – mi oedd pawb erbyn hyn yn hongian ar bob un gair oedd gan Babo i'w rannu.

'Nes i ddilyn y car trwy'r pentra, er mod i isho swpar, a mi odd yn rhaid i fi ddod oddi ar y moped a mynd lawr i'r tŷ er mwyn gneud yn siŵr – ac mi o'n i'n hollol iawn – diolch byth! Felly dydi'r Oculus im 'di chwalu'n llygid i eto!' Mi gymrodd Babo gegiad arall o win y gwan, ond wnaeth y tri arall ddim, dim ond edrych arno fo'n flin, cyn i Jac-Do ddweud yn uchel be oedd pawb yn feddwl,

'Wel gorffan dy blydi stori y crinc!'

'O ia, wel dyma lle mae'r stori yn mynd yn gnau bost a ma'n siŵr o chwalu'ch pennau chi – iw-haf-bîn-wârnd, iawn?' Edrychodd Babo i lygaid ei dri ffrind gorau, nesáu atyn nhw, gan sibrwd.

'Kelly merch Keith peintar odd 'di mynd i mewn i'r car a car Parry Pregethwr odd o dwi'n meddwl. Nes i ddilyn nhw i'r Mans!'

Mi dynnodd Callum yn ôl o'r bwrdd, plethu ei freichiau, edrych am y to a rhoi ochenaid wnaeth atsain o amgylch y Leion nes y cododd Dic ei ben o'r *Daily Mail* oedd o wrthi'n ei ddarllen y tu ôl i'r bar. Doedd neb yn siŵr iawn be i'w ddweud nesa, felly mi gymrodd y tri arall swig o'u peintiau a chladdu rhagor o'r Scampi Fries drewllyd. Jac-Do oedd y cyntaf i dorri'r distawrwydd.

'Nest di gyfarfod Kelly ar y traeth neithiwr?'

'Do ond ath petha ddim yn dda iawn a nes i ddeud wbath gwirion a wedyn nath hi adal lan môr a wedyn...'

'A wedyn dan ni'n gwbod rŵan i bod hi 'di mynd efo Parry i'r Mans,' gorffennodd Babo'r frawddeg rhag ofn fod gan unrhyw un amheuaeth o'i stori a'r sefyllfa yr oedd o wedi ei disgrifio.

'Ond pam?' oedd cwestiwn Saim Bach, gafodd ei ateb wedyn bron yn syth gan Jac-Do.

'Wel mae'n amlwg dydi, ar ôl i Callum neud llanast o bethau...' Ond cyn iddo orffen ei frawddeg, mi neidiodd Callum ar draws y bwrdd a chau ei law yn dynn o amgylch gwddw Jac-Do.

'Taw y basdad!' meddai cyn i Babo a Saim Bach dynnu'r ddau oddi wrth ei gilydd.

'Hei! Be ddiawl dach chi'n neud yn fan'na? Calliwch, neu gewch chi fynd adra!' gwaeddodd Dic o du ôl y bar.

'Ia, sori,' meddai Saim Bach, 'chwara'n wirion dan ni.'

Mi drodd y pedwar yn ôl i edrych ar eu peintiau ac mi gymrodd pawb swig yn ei dro, ond erbyn hyn mi oedd y Guinness yn glynu chydig bach cletach i du mewn y gwddw. Saim Bach oedd y cyntaf i fentro.

'Ond ma hynna'n afiach, ma'r boi yn gorfod bod yn faint... sefnti neu eiti oed, dydi? Pam fysa Kelly yn mynd efo fo?' Efallai nad oedd o am fynd i Brifysgol byth, ond mi oedd o'n dadansoddi yn gynt na neb ar hyn o bryd.

'Dyna dwi 'di bod yn ofyn i fi fy hun hefyd' atebodd Babo ac mi edrychodd pawb tuag at Callum unwaith eto.

'Sori, do'n i ddim yn trio...' ebychodd Jac-Do.

'Na, dwi'n gwbod bo chdi ddim, dwi'n sori hefyd,' atebodd Callum, 'dwi'n flin achos o'n i 'di ama bod 'na rwbath yn mynd mlaen... ddim yn ama bod Kelly yn gweld Parry, ond mi o'n i'n ama bod wbath ddim yn iawn.'

'Be ti feddwl?' oedd cwestiwn teg Babo.

'Wel, dwi gwbod bod Kelly efo lot ar i phlât adra. 'Di Keith ac Olwen ddim yn gallu gweithio ond ma Kelly 'di cal digon o cash i helpu nhw a ma hi efo ffôn newydd. Ond dwi'm yn gwbod sut ma hi'n neud y pres. Ma hi'n edrych yn hapus ar y tu allan, ma hi'n gneud yn dda yn rysgol. Chos dwi'n gwbod bod hi isho gadael y lle 'ma, ond ia, mae 'na wbath ddim yn iawn.'

'Iawn ta,' daeth Jac-Do â'i big i mewn, 'paid â trio tagu fi eto, jyst gwranda ar hyn. Ti'n meddwl felly fod Parry yn talu Kelly i... i... ti'n gwbod?' Dyna'r un casgliad yr oedd pawb wedi ei ffurfio yn eu pennau erbyn hyn. Pa esboniad arall oedd yna i'w gynnig? Yn yr ychydig funudau yna, mi oedd diniweidrwydd y criw o bedwar oedd yn adnabod ei gilydd ers yr ysgol feithrin wedi diflannu yn llwyr i wynt Guinness a Scampi Fries. Syllodd y pedwar i'r tân nad oedd bellach yn cynnig cysur, cyn i Saim Bach godi ar ei draed a chyhoeddi ei fod yn mynd i nôl rownd arall.

Er fod Babo, Jac-Do a Callum o amgylch yr un bwrdd, mi oeddan nhw ymhell o fod yn yr un lle. Mi oedd eu pennau yn nofio efo'r hyn oedd yn mynd ymlaen, yn methu gwneud pen na chynffon o sefyllfa oedd mor sobor o afiach. Mewn dim, mi oedd popeth yr oeddan nhw wedi'i feddwl am Borth Milgi wedi ei chwythu'n yfflon. Y ffug barchusrwydd. Y beirniadu. Yr hwyl. Y chwerthin. Y bobol ddauwynebog a rhywun oedd yn edrych i lawr ei drwyn ar bawb, mae'n ymddangos, oedd y gwaetha ohonyn nhw i gyd. Er ei fod yn ei gasáu, doedd hyd yn oed Callum ddim yn meddwl y gallai Parry wneud y fath beth. Bron nad oedd yr holl beth yn ormod iddyn nhw allu'i wynebu a'i brosesu, ac yna mi ddychwelodd Saim Bach at y bwrdd efo pedwar Guiness arall.

'Dwi angen deud wbath hefyd,' meddai unig fab Ffarm Nant. Mi gododd pawb eu pennau o fod yn syllu at y tân, yn disgwyl rhyw stori ddoniol am ryw fuwch yn methu dod â llo neu rywbeth tebyg i'r degau o straeon roeddan nhw wedi eu clywed o'r blaen. Ond mi wnaethon nhw weld fod Saim Bach efo rhywbeth yn pwyso ar ei feddwl.

'Mi o'n i wrthi bora ma yn torri drain ar hyd clawdd Cae Trwyn a bron yn barod i droi adra am ginio. Fel o'n i'n torri ar hyd y clawdd sy'n rhedag efo llwybr mynydd, mi welis i ddau foi yn siarad... na, dwi'n deud clwydda, dim siarad oeddan nhw, oeddan nhw'n ffruo am rwbath. Mi odd breichia un yn mynd rownd a rownd, mi odd o'n edrych yn flin ac yn pwyntio at y boi arall odd efo fo. Fel es i'n nes, mi welis i na Cen Cem odd o.' Stopiodd y tri arall i edrych ar ei gilydd yn ceisio dychmygu y dyn di-niw yn dadlau efo unrhyw un.

'Ddudist di wbath wrthyn nhw?' gofynnodd Jac-Do.

'Do, es i allan o'r cab a gofyn os odd o'n iawn, a nath o gerddad i ffwrdd, nath o gerddad i ffwrdd fatha tasa fo heb y nghlwad i.' Mi glosiodd Callum yn nes at ei ffrind, cyn gofyn.

'Gin i deimlad yn fy nŵr mod i'n gwbod yr ateb i'r cwestiwn nesa 'ma, ond dwi'n mynd i ofyn o p'run bynnag, pwy odd Cen yn ffruo efo fo?' Erbyn hyn, mi oedd llygaid y tri yn aros yn eiddgar i Saim Bach agor ei geg.

'Parry Pregethwr, mewn dillad gwahanol i ddillad capal.'

'O'n i'n ama,' meddai Callum, 'welodd o chdi?'

'Do! Alwyn Arwel Hughes, cofia fi at dy fam a dy dad medda fo, fel tasa dim yn bod a bod dadlau efo Cen Cem mewn cae yn rhywbeth hollol normal.'

Sŵn clec wedi'i hamseru'n berffaith o foncyff yn y tân oedd y sŵn nesa yn y Leion, fel tae'r fflamau eu hunain wedi dychryn efo'r hyn oedd yn cael ei drafod y noson honno. O sawl sgwrs ar hyd y blynyddoedd yn y fan honno, mi oedd yr harth yn dyst i'r sgwrs fwyaf erioed heno. Doedd neb yn siŵr be i'w ddweud gan bod eu byd bach a'r ffiniau diogel oedd yn bodoli wedi eu chwalu'n llwyr. Cymerai bawb swig bob hyn a hyn, gorffennodd Saim Bach y Scampi Fries ac yna daeth Jac-Do efo'i eiriau craff.

'Blydi hel de, pam bo fi byth yn gweld dim byd ecseiting yn y blydi lle ma?' Chwerthodd y pedwar yn uchel a gorfodi Dic i godi ei ben o'i bapur unwaith eto. 'Ond siriys,' ychwanegodd Jac-Do, 'be da'n ni'n mynd i neud?'

'Mynd at Iolo plisman, de!' meddai Saim Bach yn syth.

'A deud be?' gofynnodd Babo.

'Hei Iolo, ma Alwyn Nant fan hyn 'di gweld dau foi yn ffruo am rwbath mewn cae a dwi 'di bod yn trespasio noson blaen ar dir preifat a 'di gweld rywun... dwi'n saff na hi odd hi... dwi'n meddwl... yn mynd i mewn i'r Mans i gyfarfod y pregethwr.' Unwaith i Babo ddweud yr holl beth yn uchel, mi oedd hi'n amlwg i bawb na fyddai hynny'n bosib.

'Ylwch,' Callum oedd y nesa i siarad. 'Dim ond un boi sy'n cysylltu'r straeon yma i gyd a does 'na neb yn mynd i goelio ni os ydan ni'n deud bod Parry Pregethwr yn gneud wbath doji – neu o leia dan ni'n meddwl ei fod o. Sgin i ddim dowt fod 'na wbath yn mynd mlaen, ond sgin i na chi ddim clem be. Y rheswm am hynny ydi nad oes gynnon ni ddim byd i brofi dim, dim ond petha dan ni 'di weld – sydd ddim yn ddigon i ddal dŵr. Felly, mae'n amlwg i fi be dan ni angan neud.' Erbyn hyn, mi oedd y tri bron yn wyneb Callum.

'Dan ni angan torri mewn i'r Mans a gweld yn union be sy'n digwydd.'

Sgŵp

DOEDD DIM COPI o'r *Herald* wedi'i argraffu ar ddydd Sul ers chydig dros ddegawd. A bod yn onest, mynd yn deneuach ac yn deneuach oedd pob copi o'r papur. Ddim ymhell iawn yn ôl, mi oedd *Yr Herald* yn gwerthu degau o filoedd o gopïau bob wythnos. Digon o le i straeon caled, straeon am lwyddiant lleol ac am bob dim arall yn y canol. Nid papur efo lluniau o ryw sioe flodau neu'i gilydd oedd o, ond papur go iawn. Oherwydd hynny, roedd cwmnïau lleol yn fodlon talu arian da i gael hysbysebu rhwng y tudalennau. Talu arian da oedd pobol leol hefyd i hysbysebu pob math o bethau oedd ar gael i'w prynu – ceir, ceginau, peiriannau golchi llestri. Dros nos, mi wnaeth y papur deneuo. Pam fyddai rhywun yn talu i hysbysebu pan oedd modd gwneud hynny am ddim ar Facebook? Tenau iawn oedd y straeon go iawn bellach, mi oedd popeth bron yn ddi-ffael o ddatganiad i'r wasg neu yn rhywbeth arwynebol iawn nad oedd angen fawr o waith arno. Be bynnag oedd yn digwydd yn y llysoedd, o fewn y cyngor neu os oedd yna unrhyw waith caib a rhaw i'w wneud ar rywbeth, yna go brin y byddai gohebydd yn cael ei anfon i wneud y gwaith. Haws oedd ei gloi o neu hi mewn swyddfa yn ailgylchu datganiadau fel eu bod yn ffitio'n dwt mewn bocsys o amgylch hysbysebion nad oedd bellach yn hawlio'r un arian gan fusnesau. Wedi dweud hynny, os oedd stori lle'r oedd angen chydig o dyrchu, mi oedd yna ddiwrnod yn cael ei ganiatáu ar gyfer hynny gan y golygydd – os oedd hi wedi ei pherswadio bod gwerth ariannol i hynny. Hyd yn oed wedyn, byddai disgwyl i'r stori gael ei thorri ar y we yn gyntaf cyn y byddai'n ymddangos mewn print, oedd yn dibriso gwerth cyhoeddi ar bapur hyd yn oed ymhellach.

Ond, mi oedd Colin Williams wedi llwyddo i berswadio ei olygydd yn Lerpwl, oedd wedyn wedi llwyddo i berswadio ei golygydd hi ei bod yn werth argraffu copi caled o'r *Herald* y dydd Sul yma. Ar ben hynny, mi fyddai'r stori yn cael ei chyhoeddi ar y we ar yr un pryd. Dros y dyddiau diwethaf felly, mi oedd y ddwy oedd yn gyfrifol am werthu hysbysebion yn rhanbarth Gogledd Cymru wedi bod ar y ffôn yn gyson o'u swyddfa yn Lerpwl. Y ddwy yn perswadio busnesau y byddai'u hysbyseb yn cael ei gweld gan lawer iawn o bobol mewn print ac ar y we ar yr un pryd gan fod *The Herald* efo *exclusive* am un o'r achosion hynaf o lofruddiaeth heb ei datrys yn hanes Cymru. I unrhyw un oedd â phen busnes gweddol, mi oeddan nhw wedi cytuno yn syth. Does dim byd yn gwerthu'n well na dioddefaint, dirgelwch a llofruddiaeth. A fydden nhw'n cael eu siomi? A fyddai'r stori oedd am werthu eu busnes yn un werth ei gweld?

Am wyth o'r gloch y bore Sul hwnnw, sef tua'r amser yr oedd hynny o siopau papur newydd a oedd ar ôl yn agor eu drysau, fe aeth *Yr Herald* yn fyw efo'r stori ar eu gwefan. Mi oedd y stori yn fanno wedi ei boddi bob ochr i'r dudalen mewn hysbysebion fyddai'n newid ac yn fflachio pob 30 eiliad. Ar Facebook, Twitter ac Instagram, mi oedd na linc i'r stori yn cael ei gwthio gan arian y cwmni papur newydd. Ar dudalen flaen y copi caled o'r papur, mi oedd yna lun o Branwen Williams, y llun hwnnw oedd wedi ei rannu ddegau o weithiau yn y papur pan ddiflannodd hi yn 2003. 'The Body On The Beach' oedd y pennawd y tro hwn, a chadarnhad mewn print i bawb ei weld o'r hyn oedd pawb ar lawr gwlad ym Mhorth Milgi yn ei wybod ers rhai dyddiau. Yr unig eiriau eraill ar y dudalen flaen oedd, 'Local Sex Offender Arrested: Exclusive Story Inside'.

'Ty'd lawr grisiau i chdi gael gweld y papur!' gwaeddodd Malcolm Ffish o'r gegin cyn clywed traed ei fab yn taranu i lawr y grisiau.

'Be, ti 'di bod i nôl papur o siop yn barod, dad?'

'Wel do siŵr dduw, hon ydi dy stori fawr gynta di de, dwi'n uffernol o prowd ohona chdi,' meddai Malcolm cyn rhoi'r papur ar fwrdd y gegin i'w fab ei ddarllen. Ar ôl gweithio oriau mawr yr wythnos honno, mi oedd Colin wedi cysgu'n hwyrach na'r hyn yr oedd wedi ei fwriadu. Er ei fod yn gwybod y gallai ddarllen ei waith ar y we nes ymlaen, mi oedd o hefyd wedi bwriadu mynd i nôl copi caled. Doedd dim byd i guro gafael mewn papur newydd wrth ddarllen stori. Ogla'r inc, gweld sut oedd pob stori wedi ei gosod yn ofalus mewn lle arbennig a chael rhwbio'r inc rhwng blaenau'r bysedd. Mi fodiodd Colin i mewn i'r tudalennau pwysig i ddarllen ei gampwaith, 'The Local Paedophile Hiding In Plain Sight by Colin Williams'. O dan y pennawd, llun o Moi Saim o rai blynyddoedd yn ôl, llun yr oedd wedi ei gael gan ei dad, a oedd bellach yn edrych dros ei ysgwydd.

'Ew, gest di le i'n llun i hefyd, reit dda!'

'Ia, llun o le ydi hwnna?'

'Llun ohonan ni yn chwara darts yn Leion pan odd 'na dîm da yna. Ia, doedd Saim ddim yn chwarae, mond bod o yno'r noson honno a 'di cal i dynnu i mewn i'r llun, sdi.'

'Pa mor dda ti'n nabod o?'

145

'Wel, yn weddol, mi odd o ar y môr lot cofia, mi ddath o allan efo fi unwaith i godi cewyll pan o'n i ddyn yn brin ryw dro. Boi tawal, edrych ar ôl i fam a gwbod bob dim am hela. Fel arall, ti'n gwbod gymaint â fi, pwy o Borth Milgi sydd ddim yn gwbod am Moi Saim, de?'

'Mmmm, ia de, ti'n meddwl na fo nath lladd hi?'

'Duw, ma raid de, neb arall ar y Register yn lle 'ma nagoes? Boi yn byw ar ben i hun fel'na. Edrych ar ôl i fam, mynd a dod fel licith o. Ma 'na rwbath yn drewi ma siŵr i chdi,' ychwanegodd Malcolm yn bendant.

Sawl un arall oedd yn meddwl yr un peth, dybed? Dyna oedd yn mynd trwy feddwl Colin wrth barhau i ddarllen ei eiriau ei hun, geiriau a oedd bellach ar gael i'r byd i'w gweld. Sawl un arall oedd yn darllen y ffordd yr oedd ei waith o wedi fframio pethau ac yn meddwl, 'Ia, dim dowt na'r boi yma wnaeth, hen sglyfath annifyr.' A'r eiliad honno, mi deimlodd Colin rhywbeth nad oedd o wedi ei deimlo o'r blaen ar ôl sgwennu stori: euogrwydd. Ia, dyma oedd ei stori fawr gyntaf, a dyma'r oedd o wedi freuddwydio am ei wneud ers blynyddoedd. Gweld ei enw o dan ryw stori fawr a gwybod ei fod yn ennill streips fel dyn niws gwerth ei halen. Ond heb yr holl ffeithiau a heb unrhyw dystiolaeth gadarn, mi oedd Colin wedi gallu cyflwyno stori a chreu syniad pendant iawn ym meddyliau pobol. Mi sylweddolodd wrth eistedd wrth fwrdd cegin ei rieni bod y cyffro yr oedd o wedi ei deimlo yn gafael yn y papur am y tro cyntaf wedi mynd yn llwyr. Erbyn hyn, mi oedd o'n teimlo'n reit shit amdano'i hun.

***

Yn nymbyr ffaif Stad Cae Gwyn, mi oedd Doreen yn darllen *Yr Herald* ar fwrdd y gegin ac yn tynnu'n galed iawn ar ei smôc foreuol. Doedd ei phaned ddim yn blasu hanner cystal wrth ddarllen yr hyn oedd yn cael ei ddweud am Moi Saim. Y potshiwr, y dyn oedd yn byw ar ei ben ei hun ar ôl colli'i fam, y llongwr a'r dyn oedd ar y Sex Offenders Register. Dyna pryd yr aeth yna ias i lawr ei chefn, yn meddwl a oedd Moi wedi gwneud rhywbeth i un o'r hogiau ar unrhyw adeg ar hyd y blynyddoedd? Mi edrychodd i fyny am y to, yn y gobaith o allu darllen meddwl Callum yn y llofft uwch ei phen. Gorwedd yn ei wely oedd o, yn darllen y stori fawr ar ei ffôn. Allai o ddim credu yr hyn oedd o'n ei ddarllen. Sut? Pam na fyddai Moi wedi dweud fod o ar y Sex Offenders? Wedi dweud hynny, fyddai o ddim na fyddai? Pwy fyddai'n dweud wrth unrhyw un fod hynny yn wir amdanyn nhw? Mi oedd be ddigwyddodd yn y Leion y noson o'r blaen wedi troi byd y criw ar ei ben i lawr yn llwyr ac ar ben hynny i gyd rŵan, y stori yma am Moi Saim. Doedd bywyd ddim i fod mor gymhleth â hyn i rywun un deg saith oed, siawns?

***

Yn nymbyr nain, doedd y geiriau ar y monitor mawr yn llofft Babo ddim yn gwneud unrhyw synnwyr chwaith. Moi Saim. *Paedophile.* Y boi oedd wastad yn rhannu da-da pan oedd o'n cerdded trwy Cae Gwyn. Y boi oedd wastad yn chwara ffwt efo nhw yn parc pan oeddan nhw'n blant. Y boi oedd wedi bod yn dad i Callum fwy neu lai. Lle i fynd i ddianc oedd y we i Babo fel arfer, ond wrth ddarllen heddiw, fo oedd angen dianc rhag y we.

***

Ar lawr, ar y mat yng nghyntedd ffifftîn Cae Gwyn, mi oedd yna gopi o'r *Herald* yn gorwedd. Mi oedd y papur yn gachu ci drosto. Gan fod y tŷ yn wag a dim awgrym y byddai Moi Saim yn dychwelyd yno fyth, pa amser gwell i fynegi teimladau? Llenwi'r papur efo cachu ci wedi ei gasglu o gwmpas y pentra a'i bostio trwy flwch post y dyn oedd yn cachu ar ben Porth Milgi. Doedd pwy bynnag oedd wedi gwneud ddim yn meddwl fod hynny'n ddigon. Mi oedd y cymdogion yn deffro y bore hwnnw i weld y gair SGLYFATH wedi ei sgwennu mewn paent coch ar draws tu blaen y tŷ. Mi oedd y rheini a oedd yn ddigon hen i gofio mam Moi Saim yn diolch i'r drefn nad oedd hi'n fyw heddiw i weld y fath beth.

***

Erbyn hynny, mi oedd y fan o siop bapur newydd y dre wedi mynd â'r papurau Sul arferol i Hen Felin hefyd, a'r *Herald* yn eu canol y Sul yma. Doedd Kathleen Williams ddim wedi disgwyl gweld llun ei merch ar flaen unrhyw bapur newydd fyth eto. Ond dyna hi, Branwen annwyl, yn syllu yn ôl ar ei mam wedi'r holl flynyddoedd. Mi fodiodd mor gyflym ag y gallai i gyrraedd y manylion y tu mewn i'r papur cyn gweld llun Moi Saim. Pam fyddai'r dyn yma wedi lladd ei merch? Oedd hi neu'i gŵr wedi gwneud rhywbeth iddo yn y gorffennol? Ai dyma'r wyneb olaf welodd Branwen yn y byd yma? Yn ei chegin, yn ei gofod amser unigol ei hun, mi sgrechiodd Kathleen Williams nerth esgryn ei phen i wacter waliau Hen Felin.

***

Doedd y stori yr oedd Iolo plismon yn ei darllen yng ngorsaf heddlu Porth Milgi ddim yn ei wneud yn hapus, ond doedd hi ddim yn ei wneud yn drist chwaith. Mi oedd bodoli yn y byd yr oedd o'n byw ynddo fo erbyn hyn wedi chwalu ei gwmpawd teimladau yn rhacs. Doedd o ddim yn cael cysur na boddhad yn y ffaith nad oedd neb yn edrych y tu hwnt i Moi Saim am yr hyn oedd wedi digwydd - ac eto mi oedd o'n fodlon yn ei groen na fyddai neb yn dod i ofyn cwestiynau caled iddo fo. Canolbwyntio ar sicrhau fod hynny'n parhau oedd yr unig beth ar ei feddwl erbyn hyn.

***

Chwd o grombil stumog ddaeth i lenwi ceg DI Yvonne Ashurst am chydig eiliadau wrth ddarllen y papur newydd yng ngorsaf y dre. Mi oedd hi yn yr un adeilad â'r dyn oedd yn cael ei bardduo yn gyhoeddus erbyn hyn, dyn nad oedd wedi ei gyhuddo yn swyddogol o unrhyw beth. Efo prif eitem ei hachos o ran tystiolaeth ar goll, mi fyddai'n rhaid i Ashurst ei ryddhau yn yr oriau nesaf os na allai ddarganfod digon i'w gadw ymhellach. Oedd hanes yn ailadrodd ei hun? Oedd hi wedi gwneud llanast o bethau yn anfon y ceir heddlu ar wib i arestio Moi Saim? Gollyngodd Ashurst y papur ar fwrdd y cantîn a rhedeg i lawr y córdior am y toilet er mwyn gallu cario mlaen i chwydu.

32

Isobelle

LIMASSOL, CORINTO, ABIDJAN ac Anchorage. Wrth orwedd yn y gell ar fatres oedd fel haearn Sbaen, mi oedd Moi Saim yn edrych i ddimbydrwydd y to ac yn rhestru'r llefydd eraill yn ei ben lle'r oedd o wedi bod mewn cell erioed. Dyna'r trefi a'r dinasoedd oedd o wedi eu cofio yn ystod ei noson ddi-gwsg. Er ei fod o wedi cofio'r llefydd yn dda iawn, doedd hi ddim mor hawdd cofio pam yn union ei fod o dan glo ar yr adegau rheini. Un ai oherwydd bod criw y llong yr oedd o efo nhw wedi mynd i gwffio mewn rhyw far neu'i gilydd neu oherwydd bod yna anghytuno wedi bod yn ystod rhyw gêm o gardiau yn un o'r porthladdoedd. Ta waeth, doedd y rheswm pam ddim yn bwysig. Be oedd yn bwysig oedd ei fod o wedi gallu crwydro, yn ei ben o leiaf, o'r gell yr oedd o ynddi ar hyn o bryd ac wedi dwyn i gof rhai o flynyddoedd gorau ei fywyd.

Ar un llaw, mi oedd pob porthladd yr un peth, ac eto mi oedd pob un yn wahanol. Pysgod, ffrwythau, rhannau i geir a hyd yn oed ceir cyfan; mi oedd Moi Saim wedi bod yn rhan o deulu y môr mawr sy'n cadw llawer iawn o bethau i symud ar yr hen fyd. Oherwydd hynny yn amlwg, mi oedd o wedi gallu gweld mwy o'r byd na sawl un arall. Doedd dim i guro'r wefr o gyrraedd y lleoliad nesaf, dadlwytho gan wybod y byddai traed rhywun yn rhydd am rai dyddiau. Tra roedd criw y dociau ym

mha bynnag leoliad yn llwytho llwyth oedd yn mynd yn ôl ar
y llong i leoliad newydd, mi oedd yna wastad gyfle am antur.
Byddai hynny'n digwydd bob tro, yn ddi-ffael. Wnaeth Moi
Saim erioed hwylio ar yr un long wag, doedd hynny ddim yn
gwneud synnwyr ariannol i neb. Pa bynnag gynnyrch oedd
yn cael ei symud un ffordd, byddai yna gynnyrch yn ei le pan
oeddan nhw'n gadael tir sych drachefn. A dyna'r patrwm
oedd wastad yn rhoi ychydig o ddyddiau i bob un gael mynd
i fwynhau eu rhyddid mewn lle diarth. Rhyddid mewn lle
nad oedd neb yn eu hadnabod, neb yno i'w barnu a neb yno i
ddweud yn wahanol. Wrth droi a throsi'r atgofion yma yn ei
ben, Folkestone oedd man cychwyn popeth.

Gorffennaf 1978 oedd hi, pythefnos cyn ei ben-blwydd yn
ddeunaw oed. Isobelle Donaldson oedd ei henw hi. Dyma'r
tro cyntaf i Moi fod yn bellach na Lerpwl, hon oedd ei joban
gyntaf ar long newydd fel y *mechanic's apprentice*. Ar ôl
bron i ddwy flynedd yn Lerpwl, dyma oedd ei gyfle i fynd
ymhellach. Er mwyn i hynny ddigwydd, mi oedd yn rhaid
iddo fo gysgodi mecanic y dociau, yr un ym mhob porthladd
nad oedd â'i draed yn gadael tir sych byth. Y nhw fyddai yno
i wneud unrhyw waith mawr, sydyn i unrhyw long fyddai'n
angori. Doedd gan Moi Saim ddim problem efo hynny, mi
oedd o'n awyddus iawn i ddysgu mwy. Er mwyn bachu ar y
cyfle, mi dalodd Moi o'i boced ei hun i aros yn Folkestone i
ddod i ddallt y dalltings a chael yr hawl i hwylio fel mecanic
swyddogol o'r porthladd. Mi drefnodd felly i aros yn Kipps'
Alehouse, ar y stryd fawr yn y dre. Dyna pryd y gwelodd hi
am y tro cyntaf. Isobelle oedd merch y perchennog. Mi oedd
hi'n disgleirio o'i flaen yn dlysach nag unrhyw beth yr oedd o
erioed wedi'i weld yn ei fywyd. Chwerthin yn uchel wnaeth
hi pan ddechreuodd Moi siarad.

'Blimey, you've come a long way, sailor,' oedd ei geiriau cyntaf, bythgofiadwy. Erbyn hynny, mi oedd acen Saesneg Moi yn ryw lobsgows o un cefn gwlad Cymru wedi ei chymysgu efo acen sgows arw. Mi gochodd wrth ei gweld yn chwerthin am ei ben, cyn diolch am y goriadau i'w stafell a'i heglu hi i fyny'r grisiau.

Rŵan, mi oedd Moi ymhell oddi cartref ac yn nabod neb. Doedd dim patrwm cyson i'w ddiwrnodau, mi oedd popeth yn dibynnu'n llwyr ar pryd oedd y llongau yn cyrraedd y cei a be oedd ei angen ei wneud. Canlyniad hynny oedd bod yna lawer o oriau i'w llenwi yn y canol, a'r unig le oedd o'n ei adnabod oedd Kipps. Codi peint, darllen papur, chwarae pŵl efo pwy bynnag oedd awydd cyn mynd yn ôl ac ymlaen i'r cei fel oedd ei angen. Ond yn aml iawn, pan oedd hi'n dawel, dim ond Isobelle a Moi oedd yn y bar. Doedd ei thad ddim am dalu i rywun weithio shifft mynwent ynghanol yr haf, felly hi oedd y tu ôl i'r bar bob tro.

Mi arweiniodd un peth at y llall ac ar ddiwrnod ei ben-blwydd yn ddeunaw oed, mi gafodd Moi yr anrheg pen-blwydd gorau yn y byd. Yno yn y selar, yng ngwres y foment, ar gasgenni oer, mi gafodd fwrw ei swildod am y tro cyntaf efo Isobelle Donaldson. Yr eiliad nesaf, mi hedfanodd ei thad i mewn. Bron nad oedd tymheredd yr ystafell wedi cynyddu'n syth efo gwres ei dymer. Mi lwyddodd Moi i ddefnyddio casgenni fel rhwystrau a'i heglu hi oddi yno heb i'r un ergyd lanio. Ond nid dyna ddiwedd y sefyllfa o bell ffordd. Dyn parchus, pwerus a dylanwadol iawn yn lleol oedd tad Isobelle. Wedi bod yn y fyddin, yn arweinydd ar y cyngor ac ustus heddwch. Sut gallai o dderbyn bod ei ferch bymtheg oed wedi cyboli efo morwr yr oedd hi newydd ei gyfarfod a'u bod nhw wedi cadarnhau hynny ar gasgenni cwrw'n ddisermoni? Mi oedd o'n ddi-ildio wrth fynnu bod ei ffrindiau mewn awdurdod yn lleol yn rhoi blaenoriaeth i gosbi'r 'Welsh pervert' yma. Mi gafodd Moi ei arestio o fewn oriau, a phan gafodd wybod y gwir, mi oedd hi'n ergyd drom i'r Cymro. Doedd Isobelle ddim yn un deg chwech, bron yn un deg saith oed, fel yr oedd hi wedi ei ddweud. Pymtheg, bron â bod yn un deg chwech oedd hi.

'Indecency with a minor' oedd y cyhuddiad. Yn llygaid y gyfraith, mi oedd Morris Edward Thomas yn oedolyn oedd wedi cymryd mantais o ferch dan oed. Wedi deufis o fod ar fechnïaeth, ar yr amod nad oedd yn gadael Folkestone, mi aeth Moi o flaen llys barn a chael dedfryd o ddwy flynedd o garchar wedi ei gohirio am flwyddyn. Doedd o chwaith ddim i gysylltu efo Isobelle Donaldson fyth eto ac mi fyddai ei enw yn cael ei gadw ar ddogfennau troseddol. Ar y pryd, doedd dim Cofrestr Troseddwyr Rhyw, ac mi drosglwyddwyd ei enw i honno pan gafodd ei sefydlu yn 1997.

Mi lwyddodd i gadw'r holl beth yn dawel rhag ei fam, drwy losgi drwy'r arian oedd o wedi ei safio yn Lerpwl i aros yn Folkestone. Doedd y cwmni llongau ddim am wybod be'n union oedd wedi digwydd, cyn belled â'i fod o yn y pen draw â'i drwyn yn glir o'r gyfraith ac yn barod i hwylio. Sawl gwaith oedd Moi wedi meddwl am Isobelle ers hynny? Bob dydd ers pedwar deg a dwy o flynyddoedd. Be oedd wedi digwydd iddi? Lle'r oedd hi erbyn hyn? Doedd gan Moi Saim ddim clem. Mi oedd o, siŵr o fod, wedi hwylio i mewn i Folkestone o leia ddwsin o weithiau ers hynny ar hyd ei oes. Pob tro, mi fyddai'n aros ar y llong. Er gwaetha'r pwysau gan weddill y criw i ymuno â nhw yn y dref, gwrthod yn gadarn wnâi Moi. Doedd o ddim am beri loes posib iddi hi na thynnu blewyn o drwyn ei thad.

'Isobelle,' meddai Moi yn uchel wrtho'i hun yn ei gell, yn ei filltir sgwâr. Wrth orwedd yno, doedd gan Moi ddim clem be oedd yn mynd i ddigwydd nesa. Petai'r cyfle yn codi, mi allai esbonio'r holl beth a digwyddiadau Folkestone ond doedd y cyfle ddim wedi codi eto. I Moi, mi oedd hi'n amlwg iawn fod y plismyn yn meddwl ei fod yn euog o ladd merch Hen Felin. Yr unig beth yn ei erbyn oedd ei record, oni bai fod ganddyn nhw fwy o 'dystiolaeth' i roi o dan ei drwyn?

Sŵn traed a sŵn goriadau yn agor drws cell y córidor glywodd Moi nesa ac mi neidiodd i eistedd ar ochr ei wely. Stopiodd Iolo o flaen bariau Moi Saim.

'Meddwl y byddwn i'n dod â papur a phanad i chdi yli, mi fyddi di'n cael dy holi eto'n munud, felly yfa hon. Dwi'n mynd nôl i Borth Milgi rŵan, dan ni 'di cal ripôrts bod yna rywun wedi bod yn malu dy le di.' Ar hynny, gosod y baned ar y silff fetel ynghanol y drws a gwthio'r papur i mewn i'r gell wnaeth Iolo cyn troi ar ei sodlau a'i heglu hi. Wrth godi'r papur, mi welodd Moi lun merch Hen Felin ac ochneidio. Ar ôl agor y papur, gwelodd ei lun ei hun a dechrau darllen. Dechreuodd grio fel babi ac udo ei boen i'r byd. Doedd dim ots ganddo pwy oedd yn ei glywed, ond y gwir oedd, doedd neb yn gwrando.

33

Tystiolaeth

AM YR EILDRO yn ei gyrfa, mi oedd Yvonne Ashurst mewn lle anodd iawn. Doedd ganddi ddim tystiolaeth fforensig gadarn yn erbyn Moi Saim. A dweud y gwir, doedd ganddi fawr o dystiolaeth o gwbl. Allai hi ddim credu bod y gadwyn a'r groes wedi diflannu. Be bynnag oedd yr esboniad, roedd y cyfan ar ei hysgwyddau hi ac mi oedd hi'n ymwybodol iawn o hynny. Ar ôl y sesiwn holi gyntaf, roedd hi wedi mynnu bod y plismyn oedd ar gael yn gwneud popeth i ddod o hyd i'r gadwyn a'r groes oedd ar goll. Gan wybod ei bod mewn bag tystiolaeth clir ac wedi ei labelu, fyddan nhw ddim yn hir iawn yn dod o hyd iddi siawns. Felly mi oedd y car oedd wedi ei ddefnyddio i nôl y dystiolaeth o'r sêff yng ngorsaf Porth Milgi yn cael ei dynnu'n ddarnau erbyn hyn. Mi oeddan nhw wedi mynd trwy'r orsaf hefo crib mân, ond ar ôl bron i ddiwrnod cyfan o fod yn cribinio, dim byd.

Yn y cyfamser, mi oedd Ashurst wedi derbyn galwad ffôn gan y Prif Gwnstabl a'r Comisynydd yn bytheirio am iddi adael i'r wasg lusgo'r ymchwiliad yn ei flaen gerfydd ei drwyn. Doedd ganddyn nhw ddim atebion i'w cynnig, wrth gwrs, a phan awgrymodd DI Ashurst ei bod yn gwneud popeth o fewn ei gallu ar ôl cael clywed na fyddai'n cael unrhyw help ychwanegol, mi gafodd lond pen am fod yn amddiffynnol.

Mewn gwirionedd, ffonio i ddweud oeddan nhw eu bod nhw wedi llunio datganiad ar y cyd yn ymateb i stori'r *Herald* yn cadranhau mai corff Branwen Williams oedd wedi ei ddarganfod a'u bod nhw yn holi dyn lleol chwe deg oed. Y cwestiwn nesaf oedd pryd oedd Ashurst yn gobeithio cyhuddo Moi Saim yn ffurfiol? Mi atebodd ei bod yn ei holi unwaith eto heddiw ac y byddai'n symud ymlaen o'r fan honno. Mi oedd Ashurst yn gwybod petae'n crybwyll unrhyw beth am dystiolaeth yn mynd ar goll neu ddiffyg tystiolaeth fforesnig gadarn, y byddai'n cael ei diswyddo yn y fan a'r lle. Am yr eildro y bore hwnnw, mi ganodd y ffôn yn ei swyddfa dros dro yng ngorsaf y dre.

'Ashurst,' atebodd yn swta.

'A, bore da ditectif, mi ges i wybod mai yno oeddach chi gan Iolo draw yng ngorsaf Porth Milgi,' meddai'r llais y pen arall.

'Ia, fi sydd yma, pwy sy'n ffonio?'

'Y Parchedig John Parry sydd yn siarad, bore da iawn i chi.' Doedd gan Ashurst ddim amser i falu awyr heddiw.

'Alla i helpu? Oes gynnoch chi wybodaeth am yr achos?' gofynnodd.

'Achos?' oedd y gair ddaeth i lawr y lein yn ôl o enau Parry Pregethwr.

'Achos llofruddiaeth Branwen Williams, pa achos arall?'

'O ia, wrth gwrs, nac oes dim gwybodaeth o gwbl. Pam fyddach chi'n gofyn hynny i mi?' atebodd Parry gan lenwi ei lais efo diniweidrwydd digwestiwn.

'Ylwch, dwi'n brysur ofnadwy, felly os nad oes gynnoch chi unrhyw beth i'w...'

'Wel mae'r hyn sydd gen i i'w ddweud wrthoch chi yn bwysig tu hwnt. Mae'r digwyddiad anffodus y noson o'r blaen wedi golygu poen meddwl mawr i nifer fawr o'n haelodau ni. Dach chi'n gweld, mi dorrodd rhywun i mewn i'r capel a dwyn arian y casgliad. Dwi ddim yn dweud, doedd o ddim yn ffortiwn, ond dydi hynny ddim yn bwysig. Yr hyn sy'n achosi poen meddwl i ni ydi bod rhywun yn meddwl ei bod hi'n iawn i dorri i mewn i dŷ Dduw, a thorri'r gyfraith o dan ei drwyn. Dyna sydd yn dân ar ein crwyn ni, dydi'r peth ddim yn iawn. Felly, rhoi gwybod i chi ydw i, mai'n dymuniad ni ydi i chi roi blaenoriaeth i'r dwyn yma er mwyn i'n haelodau gael tawelwch meddwl.' Mi stopiodd Parry i wrando ar anadlu y ditectif. Bwriad go iawn yr alwad wrth gwrs oedd mesur â'i glust ei hun lle'n union oedd hi arni o ran dal y llofrudd. Yna, mi ddaeth ochenaid ddofn i lawr y lein.

'Ylwch, sgen i ddim amser i hyn, mater lleol i bobol gul Porth Milgi ydi hynny ar hyn o bryd a dim mwy. Ffoniwch Iolo yn yr orsaf yn fanno i ffeilio'ch cwyn. Hwyl.' Mi daflodd Ashurst y ffon yn ôl i'w lle, ac mi roddodd Parry ei ffôn yn ôl yn ei lle yn y Mans, yn gwenu o glust i glust.

'Pwy sy 'na?' oedd y geiriau nesaf o geg Ashurst wrth iddi glywed cnoc ar y drws ac mi ddaeth Iolo i mewn.

'Blydi hel, *speak of the devil*, be ti'n da 'ma?' gofynnodd.

'O, dwi'n mynd yn ôl i Porth Milgi rŵan. Dim ond isho deud mod i a Derek a un neu ddau o rai eraill wedi tynnu'r sgwad car yn ddarnau a wedi mynd trwy bob dim yn steshion pentra unwaith eto. Sori, ond does na'n dal ddim golwg o'r gadwyn.' Mi rwbiodd Ashurst ei llaw dros ei hwyneb.

'O'n i'n ama na dyna fysa chdi'n ddeud. Iawn, paid poeni. Mi ffonia i'r lab fforensigs wedyn rhag ofn bod nhw wedi mynd â'r bag efo'u pethau nhw heb sylwi. Gwranda, cyn i chdi fynd, dos i nôl Moi Saim a ty'd â fo i fyny i'r *interview room* mewn ryw chwarter awr.'

'Iawn,' oedd ateb Iolo, cyn troi at y drws unwaith eto, a'i galon yn curo, yn gobeithio na fyddai'n cael ei holi am y gadwyn a'r bag oedd ar goll. Fel oedd o'n mynd trwy'r drws, mi glywodd Ashurst yn gweiddi,

'Hei, Iolo?' Damia, mi drodd Iolo yn ôl i mewn i'r stafell i'w hwynebu.

'Ia?'

'Parry Pregethwr, ydi o'n dechra mynd yn dŵ-lal yn ei henaint?' Mi lyncodd Iolo ei boer yn galed iawn wrth glywed ei enw.

'Na, dwi'm yn meddwl, pam?'

'O, dim byd mawr, jyst ffonio fan hyn rŵan yn deud bod rywun 'di torri i mewn i capal a bod o meddwl mai dyna ddylia fod yn *priority* i ni! Ma raid bod o ddim yn darllan *Yr Herald* na'n gwybod be sy'n mynd ymlaen go iawn yn ei bentra'i hun. Pregethwr rhech!' Chwerthin wnaeth Iolo, mewn ffordd sobor o ffals.

'Ia de, rêl hen rech! Iawn, mi a'i lawr am y *cells*,' cyn cau y drws mor gyflym ag y gallai a gobeithio nad oedd ei wyneb wedi dangos unrhyw fath o emosiwn nac euogrwydd.

***

Eistedd yn amyneddgar yn yr un sedd â'r un oedd o ynddi y dydd o'r blaen oedd Moi Saim. Wrth aros i'r drws agor unwaith eto, mi oedd o wedi blino. Heb gysgu'n iawn ers dyddiau, wedi hel hen feddyliau ddeg gwaith drosodd ac wedi croesi bysedd droeon y byddai'r hunllef drosodd yn fuan. Mi agorodd y drws i'r ystafell holi. Yr un oedd yr olygfa, Ashurst yn dod i mewn, pwyso recórd ac agor ffolder yn cynnwys chydig o bapurau. Un o'r pethau gorau glywodd Moi Saim am bobol yn cario ffolder neu ffeil oedd eu bod nhw, gan amlaf, yn gwneud hynny un ai i edrych yn brysur neu'n bwysig. Mae hi'n trio edrych fel y ddau beth, meddyliodd wrtho'i hun. Cyn i Ashurst ofyn dim, mi benderfynodd Moi y byddai'n taro gyntaf.

'Duwcs, dim golwg o Derek heddiw? Siŵr i fod o'n dal i chwilio am be bynnag sydd ar goll, yndi?'

Damia, slap dda, meddyliodd y DI wrthi ei hun. Sythodd ei chorff yn sgwâr efo'r ddesg cyn agor y ffeil ac mi benderfynodd daro'n ôl efo'i *upper cut* ei hun.

'Isobelle Donaldson, cofio hi?' Fel cyllell trwy'i galon, mi oedd Moi Saim yn gwingo mewn poen y tu mewn ond doedd o ddim am ddangos hynny am eiliad i hon.

'Yndw tad, yn Folkestone yn 1978, yr unig un nes i charu'n iawn erioed.' Doedd ateb cadarn a diffuant ddim yn rhywbeth yr oedd Ashurst wedi'i baratoi ar ei gyfer.

'Ond mi naethoch chi dorri'r gyfraith yn mynd efo hi, pymtheg oed oedd hi...'

'Mi odd hi wedi deud ei bod hi bron yn sefntîn, doedd gin i ddim rheswm i hama hi, a dim ond deunaw o'n i. Deunaw oed o'n i y diwrnod yna pan naethon ni...' Stopiodd Moi ei hun. Doedd o ddim am roi dim mwy i hon.

'Pan wnaethoch chi be?' Daeth y cwestiwn amlwg yn sownd fel magnet i eiriau Moi. Distawrwydd. Mi edrychod y ddau ar ei gilydd.

Yr eiliad honno, mi ferwodd holl rwystredigaeth Ashurst i'r wyneb.

'Merched ifanc fel Isobelle neu, Branwen Williams, ddudwn ni, yn apelio?' gan lwytho'r gair *apelio* efo gymaint o gyhuddiad â phosib. Ei gobaith oedd y byddai'n gallu pryfocio rhyw fath o ymateb gan Moi Saim, rhyw arwydd fod y dyn o'i blaen yn gallu colli'i dymer ac y gallai fod wedi gwneud hynny efo

Branwen Williams am nad oedd hi efallai wedi gadael iddo gael ei ffordd. Mi edrychodd i fyw llygaid Moi Saim, tu hwnt i'r gwallt a'r barf cydnerth, yn y gobaith y byddai'n gweld fflach o unrhyw fath. Ond y cwbl wnaeth Moi oedd eistedd yn ôl yn ei gadair.

'Yli, dwi'n dyfalu na tena iawn ydi dy brofiad di o fywyd y tu hwnt i Borth Milgi a'r lle yma. Os est di o'r fan hyn erioed, nest di ddim dysgu fawr o ddim. Does yna'r un cyfandir dwi ddim wedi'i droedio, yr un math o berson dwi ddim wedi dod ar eu traws nhw. Ella na fues i rioed mewn colij, neu sgen i ddim ryw fathodyn sgleiniog neis fatha chdi ond ma'r hyn dwi 'di gael mewn coleg bywyd yn fwy na'r hyn weli di byth a llawer iawn mwy na'r hyn gei di gyfle i ddarllen mewn llyfrau. Yn Bahia Blanca, yn Argentina, dwi'n cofio ryw hen law yn fanno yn eistedd wrth f'ochr i mewn bar. O'n cwmpas ni, mi oedd hi'n ffatri, y ffeit fwyaf welist di rioed yn dy fywyd. Cadeiria, poteli, gwydra yn mynd i bob man. Yn eu canol nhw, fi a fo yn eistedd yn dawel yn sipian wisgi. "Cofia", medda fo wrtha'i, "os ydi rhywun dy ofn di neu ddim yn siŵr ohona chdi, neu'n meddwl eu bod nhw'n well na chdi – be wnawn nhw ydi dy bryfocio di. Dy herio di i ddod amdanyn nhw iddyn nhw gael profi i'w hunain eu bod nhw'n well na chdi. Ac i be? Yli rhain i gyd rŵan, yn malu ac yn cwffio, tra dan ni'n fan hyn yn gallu eistedd yn ôl a mwynhau. Sgen ti ddim byd i'w brofi i fi a dwi ddim am brofi dim byd i chdi," medda fo, cyn codi ei wydr a dymuno iechyd da i mi. A dyna'r stori sydd wedi neidio i flaen fy meddwl i. Sgen ti ddim byd nag oes? Ti'n benderfynol o brofi dy hun i fi, i rywun neu i chdi dy hun. Yn trio gwthio ryw syniad posib o be ddigwyddodd yr holl flynyddoed yna'n ôl ar y traeth. Dwi'n gwybod bo chdi'n disgwyl ryw ymatab gen i

– ond coelia fi, y llais hyderus tawal ma di'r unig ymatab ti'n mynd i gael gen i o rŵan hyd at ddydd y farn.'

Mi symudodd Ashurst ei cheg, ond ddaeth yr un gair na'r un sŵn allan. Be allai hi ddweud? Mi oedd Moi Saim wedi hoelio'r sefyllfa yn well na fyddai'r un seicolegydd neu therapydd wedi gallu'i wneud. Doedd dim y gallai ddweud yn ôl na fyddai wedi profi yr union hyn yr oedd Moi newydd ei ddweud ac mi ddefnyddiodd yr unig gardyn oedd ar ôl i fyny ei llawes.

'Ar ôl hanner dydd, oherwydd pa mor ddifrifol ydi'r cyhuddiad yn eich erbyn, mi awn ni at yr ynadon lleol i ofyn am fwy o amser i'ch holi chi. Bryd hynny, mi gawn ni ddigon o amser i gasglu a chael trefn ar bob dim sydd gynnon ni fel tystiolaeth.'

Ar hynny, mi gododd Ashurst ac anelu am y drws yn ceisio mesur ei cherddediad yn erbyn pa mor gyflym yr oedd hi am ei heglu hi go iawn. Caeodd y drws ar ei hôl a chau ei llygaid. Doedd ganddi ddim ar ôl i'w gynnig.

34

Doreen

WRTH FWRDD CEGIN nymbyr ffaif Cae Gwyn, mi oedd Doreen unwaith eto yn sugno cysur o ben blaen melyn sigarét arall. Er mai dim ond tri deg a thair oed oedd hi, mi oedd hi wedi cario mwy o groesau nag y byddai rhywun yn ei nawdegau. Toc wedi chwech oedd hi, a shifft arall wedi dod i ben yn siop jips Magi Ann yn y dre. Amser am baned sydyn cyn dal y bws yn ôl i'r dre a noson o weithio y tu ôl i'r bar yn y clwb o'i blaen hi. Yr un oedd y patrwm bob nos Iau, nos Wener a nos Sadwrn. Ogla chips siop Magi Ann oedd ei hêrspre hi ac ogla hen gwrw o weithio tu ôl i'r bar oedd yr unig sent ar ei chroen hi bellach. Dwy job i ddal dau ben llinyn ynghyd a hyd yn oed wedyn, crafu drwy ambell wythnos oeddan nhw'n ei wneud fel teulu. Paned a smôc oedd ei swper yn amlach na pheidio. Cyn belled â bod bwyd ar y bwrdd i Callum a Carl, doedd affliw ots am ddim arall. Mi oedd digwyddiadau'r dyddiau dwytha wedi ei llusgo yn ôl i'w gorffennol ei hun.

Ei sgwrs efo'i mab hynaf, ymhlith pethau eraill, oedd wedi ei rhoi ar bigau'r drain dros yr oriau dwytha. Er nad oedd o'n cario chwarter y baich yr oedd hi wedi ei gario yn ei oed o, ni allai beidio pryderu am Callum.

Celwydd oedd y dyddiad geni roddodd hi ar y ffurflen i gael nymbyr ffaif Cae Gwyn, celwydd golau. Mi ddywedodd ei bod hi eisoes yn ddeunaw oed, er nad oedd hynny yn wir am rai misoedd wedyn. Bychan bach oedd Callum yn ei breichiau ac mi oedd hi'n disgwyl Carl ac mi oedd hi'n torri'i bol am gyfle newydd. Edrychodd o'i chwmpas wrth dynnu ar ei smôc a meddwl am yr holl gariad a sefydlogrwydd mae'r brics a'r llechi uwch ei phen wedi ei roi i'w phlant. Yn bymtheg oed, allai hi ddim ond breuddwydio am y fath beth. Yn y fflat uchaf un yn yr unig floc o fflatiau yn y dre roedd hi'n byw bryd hynny. Byw yn yr ystyr o gysgu a gobeithio bod bwyd yno weithiau i'w chadw i fynd. Bron nad oedd y fflatiau yn adlewyrchu anobaith bywyd; heli'r môr wedi cnoi ar y bariau dur y tu mewn i'r concrit a'r lliw oren budur hwnnw wedyn wedi llifo i wneud i'r holl adeilad edrych fel petai'n crio dagrau y rheini oedd yn byw y tu mewn. Mae'n cofio dod adre o'r ysgol a gweld nodyn ar fwrdd y gegin a'r un gair syml: 'SORI X.' Doedd Doreen ddim angen esboniad, mi oedd hi'n gwybod na fyddai byth yn gweld ei mam eto a doedd hi ddim yn gweld bai arni. A dweud y gwir, synnu oedd y ferch ysgol na fyddai'i mam wedi gadael y lle ynghynt. Ers blynyddoedd, mi oedd ei thad wedi defnyddio'i ddyrnau ar y graduras yn ddi-baid mewn storm gyson o gwrw a chyffuriau. Yn aml iawn, mi oedd Doreen wedi ceisio sefyll rhyngddo fo a'i mam ond mi oedd ei mam wastad wedi ei gwthio o'r ffordd. Mae gweld ei mam yn sgrechian crio arni o'r gegin fach honno, yn gweiddi arni i fynd i'w llofft a chau'r drws yn llun byw iawn yn ei hunllefau hyd heddiw.

Treuliodd lai a llai o amser yn y fflat. Sleifio i mewn yn hwyr gyda'r nos a mynd yn syth i'w gwely a rhoi cadair i rwystro neb rhag gallu dod i mewn. Os oedd hi'n gallu osgoi mynd adra o gwbl, mi fyddai'n cysgu ar soffa tŷ ffrind neu'n mynd i gysgu o dan y bont neu gerllaw y llwybr troed oedd yn mynd heibio i gaffi lan môr dre. Unrhyw le, unrhyw le allai gynnig unrhyw beth iddi. Crwydro strydoedd y dre yn chwilio am rywle oedd hi'r noson honno, pan stopiodd o yn ei gar. Brasgamu wnaeth hi ar y dechrau, wedi dychryn am ei bywyd. Mi oedd hi'n ceisio osgoi dynion fel y pla, a dyma un arall rŵan yn ei dilyn mewn car ac yn gweiddi arni o'i ffenest agored. Rhedodd i ffwrdd i lawr un o'r strydoedd cul rheini oedd y tu ôl i'r stryd fawr. A dyna fuodd. Mi gafodd lonydd. Am dridiau.

Tra roedd Doreen yn syllu ar ei thraed yn glynu i'r pafin, mi glywodd sŵn drws car yn cau o'i blaen. Pan gododd ei phen, mi welodd yr un car a'r un dyn eto. Mi roddodd ei freichiau i fyny a dod yn nes a dweud y byddai'n gallu ei helpu. Gan fod y dillad yr oedd o'n wisgo yn cadarnhau hynny, mi stopiodd Doreen i wrando ar yr hyn oedd ganddo i'w ddweud. Ar ddiwedd ei sgwrs, mi aeth i mewn i'r car ac mi gafodd o le iddi yn lloches y dre i ferched. Am y tro cyntaf ers oes, mi gafodd bryd cynnes o fwyd yn ei bol ac mi gafodd gysgu mewn gwely glân a diogel. A'r peth gorau? Mi gafodd wneud hynny y noson wedi hynny, a'r noson wedyn ac am sawl noson arall. Cyfle i gael golchi dillad, cael dewis dillad newydd o'r bagiau elusen a chyfle i deimlo'n fyw ac yn ddiogel am y tro cyntaf yn ei bywyd.

Wrth i'r wythnosau fynd heibio, mi gafodd ei thraed dani. Mi gafodd drefn ar bethau, ailafael mewn chydig o addysg diolch i'r tiwtor oedd yn dod i'r lloches ar ddydd Mawrth a dydd Iau. Parhau hefyd wnaeth ei haelioni o. Ambell i drip yn y car i weld y wlad, am dro i nôl hufen iâ neu fagiad o jips a mwy na digon o bapurau deg punt ar bob tro i'w helpu ar lwybr ei bywyd newydd.

Mi chwerthodd Doreen yn uchel wrth i'r atgofion lifo'n

ôl iddi. Taniodd smôc arall uwchben bwrdd cegin nymbyr ffaif Stad Cae Gwyn a chau ei llygaid. Sut allai fod wedi bod mor wirion? Sut allai fod wedi bod mor ddiniwed? Wrth i'r teithiau yn y car fynd yn hirach, mi oedd hi'n meddwl ei bod hi'n closio at y dyn yma oedd wedi achub ei bywyd. Wedi'r cyfan, hwn *oedd* wedi ei hachub. Mae'n rhaid ei fod yntau yn teimlo'r un peth, neu fyddai dyn prysur fel hyn ddim yn cadw'r fath gysylltiad cyson? Y cam naturiol nesa yn eu perthynas, siawns, oedd mynd i sedd gefn y car liw nos? A dyna ddigwyddodd. A dyna pryd y digwyddodd Callum. A hithau newydd grafu ei phen-blwydd yn un deg chwech oed, mi gafodd ei hun mewn lle anodd iawn iawn yn ei bywyd unwaith eto. Ton o anobaith lenwodd ei chalon pan welodd hi'r prawf positif yn y lloches y bore hwnnw. Be allai hi wneud? Doedd y lloches ddim yn gallu gadael i ferched beichiog aros yno am sawl rheswm da. Sut oedd hi wedi gallu bod mor ddwl? Pam bod hi wedi gadael i ddyn arall ddifetha ei bywyd? Be fyddai ei ymateb o? Be oedd pwynt y bywyd yma oedd hi'n ei lusgo i'w fyw yn nhwll din byd p'run bynnag? Dros y dyddiau nesaf, mi aeth trwy sawl emosiwn a sawl eiliad o gyfyng-gyngor. Ond, mi oedd hi'n diolch am ei chryfder a'i dewrder, rhywbeth yr oedd hi wedi ei gael gan ei mam ei hun – heb os. Fel y dur oedd yn rhedeg drwy asgwrn cefn y fflatiau lle'r oedd hi wedi ei magu, mi gafodd Doreen drefn ar ei bywyd yng ngwyneb storm newydd. Trwy wahanol asiantaethau a awgrymwyd gan y lloches, mi gafodd fflat preifat yn un o hen dai Fictorianaidd y dre. Tai ysblennydd ers talwm, pob un bellach wedi ei rannu yn unedau llai. I Doreen, mi oedd yr holl beth fel ennill y loteri. Mi gafodd Callum ddod i'r byd mewn rhywle diogel. Er fod y tad wedi dweud nad oedd o am gael dim i'w wneud â hi eto, dod yn ôl ati wnaeth o. Ildiodd Doreen ac agor y drws iddo ryw noson. Dyna pryd y digwyddodd Carl.

Unwaith eto, teimlodd Doreen bwysau'r byd ar ei hysgwyddau, ond cryfhau yn hytrach na gwegian wnaeth y dur oedd yn rhedeg trwy'i chraidd. Gadael y dre, dyna oedd y peth cyntaf a'r peth pwysicaf i'w wneud. Ei chariad tuag at Callum a'r bychan yn y groth wnaeth sicrhau lle ar restr aros tai y cyngor. Gan mai gadael y dre oedd hi am ei wneud, mi oedd hi'n gynt yn cael tŷ yn un o'r pentrefi gwledig cyfagos. A dyna ni. Mi ddywedodd Doreen gelwydd am ei hoedran, a dyna sut y daeth i fod yn nymbyr ffaif Stad Cae Gwyn, Porth Milgi. Doedd ganddi ddim syniad fod tad ei phlant yn gweithio yn yr un pentra.

Doedd hi ddim wedi cysgu winc ers i Callum ofyn os mai Moi Saim oedd ei dad. Doedd dim modd ei osgoi bellach, roedd rhaid iddi ateb y cwestiwn pwy'n union oedd o. O weld bod Callum yn cael ei dynnu'n ddarnau oherwydd bod Moi yn y carchar, roedd y dydd wedi cyrraedd, meddyliodd. Stwbiodd ei sigarét yn y bowlen frecwast oedd yn ashtre ers blynyddoedd a gafael yn ei mobeil. Mi ffoniodd y rhif landlein, yr unig rif oedd gan hwn ers blynyddoedd ac mi ganodd y ffôn cyn i lais ateb.

'Helô?' Saethodd ias i lawr ei chefn wrth glywed y llais oedd wedi ei llunio a'i mygu fel person.

'Doreen Cae Gwyn sy 'ma,' meddai hithau.

'O,' oedd yr unig ateb ddaeth yn ôl i lawr y lein.

'Paid poeni, dydw i ddim isho run ceiniog gin ti. Ond dwi'n meddwl bod hi'n bryd.' Gadawodd i'r geiriau hongian ar y lein ffôn.

'Mae'n bryd i be, dwa?' Mi chwythodd Doreen i lawr y ffôn, doedd o ddim am wneud dim yn hawdd iddi.

'Dwi'n mynd i ddeud wrth yr hogia mai chdi ydi i tad nhw. Ma Callum mewn lle anodd uffernol rhwng bob dim ac mae o wedi gofyn y cwestiwn unwaith eto am i dad. Dwi heb neud dim o'i le, dydw i erioed wedi deud clwydda wrthyn nhw a dydw i ddim am ddechrau rŵan. Ti heb roi dim na gneud dim efo nhw a doedd dim raid i fi ffonio chdi – ond mi gawn nhw wybod a ella y down nhw i chwilio amdana chdi neu ella y gnân nhw ddeud wrth bobol erill, a dwi'n gwbod bod dy enw da di yn bwysig i chdi. Felly, i chdi gael gwbod, mi fydda i'n deud wrth Callum bora fory yn fan hyn. Fyny i chdi os ti am fod yma neu beidio.'

Ar ôl bwrw'i bol a chwydu môr o eiriau i lawr y lein, mi aeth popeth yn ddistaw unwaith eto. Mi oedd hi'n ei glywed yn anadlu, cyn iddo ateb ymhen hir a hwyr.

'Iawn, mi ddo'i draw ond paid â disgwyl unrhyw *handouts*.' Ac mi roddodd y ffôn i lawr, cyn i Doreen ddiffodd ei mobeil efo bawd benderfynol.

'Dwi ddim isho'r un geiniog gen ti'r basdad' meddai wrth y ffôn gan losgi tyllau efo'i llygaid i lawr y lein. Mi afaelodd yn ei sigaréts a'i leitar oddi ar y bwrdd, cyn mynd i fyny'r grisiau i folchi a newid cyn dal y bws yn ôl i'r dre i wynebu chwech awr o godi cwrw a mygu ar ogla hen lager stêl a WKD Blu.

35

Lladron

'BLYDI HEL! SBIA lle ti'n sefyll! Faint ddiawl *wyt* ti'n bwyso?' Newydd neidio dros y giât o fuarth Fferm Nant i Cae Wengli oedd y pedwar. Mi oedd hi fel bol buwch, wedi troi deg o'r gloch y nos. Jac-Do wnaeth ofyn y cwestiwn wrth wingo mewn poen, ar ôl i Saim Bach neidio dros y giât a sefyll ar ei droed chwith, welington ar welington. Tra roedd y tri arall yn chwerthin, mi aeth Jac-Do i bwyso ar y giât i adael i'r boen adael ei gorff.

'Sawl cae tan i ni gyrraedd y Mans, dwa'?' holodd Callum.

'Awn ni at y clawdd agosa at lôn fawr rŵan, dilyn clawdd Cae Wengli 'ma, drosodd i Cae Poeth, Cae Briwsion a Cae Bwrcas ac mi fyddwn ni yno,' atebodd Saim Bach. Mi ddechreuodd pawb ei ddilyn wedyn wrth iddo arwain y ffordd a'i dortsh yn ei law. Dim ond Alwyn Arwel Hughes oedd yn cario golau. Fyddai neb yn amau dim yn gweld un lamp mewn cae – ffermwr yn mynd i chwilio am ei braidd. Stori wahanol fyddai petae yna bedwar golau yn mynd i bob man.

'Iesu, ma'n anodd gweld uffar o ddim byd,' oedd cyfraniad Babo wrth iddyn nhw i gyd wrando ar eu welingtons yn cael eu sugno i mewn i ambell damaid gwlyb o gae tra'n troedio.

Ers cytuno i dorri i mewn i'r Mans, mi oedd y pedwar wedi mynd ati i chwilio am bob un tamaid o ddilledyn du oedd ganddyn nhw. Doedd yr un am gael ei weld, ac mi oedd hi'n anodd iawn iddyn nhw weld ei gilydd erbyn hyn. Ar ôl cyfarfod ar y buarth yn edrych fel rhyw bedwar dyn Milk Tray, mi wnaethon nhw ddechrau dilyn Saim Bach. Jac-Do oedd yr anodda un i'w weld, am y rheswm syml ei fod o'n gwisgo balacalfa dros ei ben. Nid yn unig yr oedd o fel y fagddu, ond mi oedd hi hefyd yn anodd iawn i'w ddeall o wrth iddo geisio sibrwd a siarad trwyddo. Mi benderfynodd ei bod hi'n hen bryd iddo dorri ar dawelwch troedio'r tywyllwch.

'Ti meindio bo ni'n galw chdi'n Saim Bach?' meddai o dan ei fwgwd.

'Blydi hel Jac-Do, ti fatha gordd,' meddai Callum.

'Wel dan ni gyd yn ffrindiau dydan a dan ni'n galw fo'n hynny ers sbel rŵan,' oedd amddiffyniad Jac-Do.

'Ma hynna'n bwynt da iawn, ella dylia ni fod 'di gofyn yn gynt,' meddai Babo. Chwerthin wnaeth Alwyn, yn uchel, gan ddychryn y tri arall oedd yn cerdded mewn llinell naill ochr i'w olau.

'Nachdw, poeni dim arna i, mi fyswn i 'di deud wrtha chi am beidio erbyn hyn siŵr. Alwyn Nant ydw i bobol erill, yn y ngwynab i o leia, dim ond y chi sy'n 'y ngalw fi yn hynny. Dwi'n cofio chdi'n deud y stori wrtha'i yn rysgol, Jac-Do, bod pawb yn deud na Moi Saim odd 'y nhad go iawn i. Be fedrwn i neud de? Ma mam a dad yn 'y ngharu i, dwi'n hapus, dim ots am ddim byd arall, nachdi?' Mi aeth pawb i deimlo'r distawrwydd dros y camau nesaf, a Jac-Do yn teimlo'n euog am ddweud y stori wrth ei ffrind flynyddoedd yn ôl ac wedyn bathu'r llysenw. Ond rhywsut, er nad oedd neb yn dweud dim byd, mi oedd y sgwrs wedi tanlinellu pa mor agos oedd y pedwar. Ffrindia gora, wedi mynd i gyfeiriadau gwahanol erbyn hyn, ond y glud cudd oedd rhyngthyn nhw mor gadarn ag erioed.

'Fyddai o ddim angen tortsh,' meddai Callum ymhen hir a hwyr.

'Pwy?' gofynnodd Babo.

'Moi. Sawl tro dwi 'di bod efo fo'n potshian mewn coedwig neu gae agored. Ddim yn gweld dim pellach na 'nhrwyn ond byth ar goll. Mae o'n nabod pob modfedd o'r hen le ma a 'di arfer troedio i hela a potshian heb gael i ddal. Ond mae'n bryd i ni fynd i hela ar i ran o rŵan, mae'n bryd i ni i ryddhau fo o'r trap.'

'Ond ella na fo nath ladd yr hogan yna flynyddoedd yn ôl, os ydi o'n gallu symud o gwmpas Porth Milgi heb gael i ddal,' mi stopiodd Jac-Do yn stond ar ôl sylweddoli ei fod o wedi rhoi ei droed ynddi. Stopio oedd y lleill wedi'i wneud hefyd, ac mi ruthrodd Callum ar draws y ddau oedd rhyngddo fo a Jac-Do cyn gafael yno fo â'i ddwy law, gerfydd coler ei gôt tracsiwt ddu.

'Taw Jac-Do, llawn cachu fel arfer am rwbath sgin ti ddim clem amdano fo.' Braich fawr gadarn Saim Bach oedd y peth nesa deimlodd y ddau yn dod rhyngddyn nhw.

'Calliwch a stopiwch, dan ni 'di cyrraedd Cae Poeth.' Mi ollyngodd Callum ei afael cyn dilyn golau Saim Bach unwaith eto. Yn y golau, mi welodd y tri arall hen fath gwyn oedd yn cael ei ddefnyddio fel cafn dŵr rhwng y ddau gae. Dyma'r pedwar yn lledu eu coesau dros y bath a chyrraedd Cae Poeth yn ddiogel.

Wrth ddechrau cerdded eto, Babo dorrodd ar draws y tensiwn.

'Felly, o ddifri rŵan, ydan ni gyd yn meddwl bod Kelly yn mynd i mewn i'r car, y ffrae efo Cen Cem a busnas y corff ar y traeth i gyd yn rhan o'r un peth?' Roedd o'n gwestiwn nad oedd yr un o'r lleill wedi meddwl yn iawn yn ei gylch ers bod yn y Leion.

'Dwi'm yn siŵr, dwi ddim yn hyndryd, ond ma' gin i deimlad bod o'n rhan o'r un peth,' atebodd Callum, 'mae'r holl bethau 'ma'n digwydd ar yr un pryd, yn rwla lle does 'na ddim byd felma 'di digwydd rioed o'r blaen. Rhywun ddeud wrtha i nad oes yna ddrewi.' Distawrwydd. Dim ond sŵn traed y pedwar yn cerdded mewn un côr ar draws Cae Poeth.

'Mae 'na rwbath yn drewi yma. Sud ddiawl ti'n gallu byw yn ganol yr holl ogla cachu gwartheg yma?' gofynnodd Jac-Do wrth Saim Bach ac mi chwerthodd pawb unwaith eto.

Dros y giât o Gae Poeth i Gae Briwsion, 'fan hyn odd pawb yn cyfarfod am ginio adag y cynhaea ers talwm,' meddai'r ffermwr ifanc, balch, 'a dyna pam Cae Briwsion.'

'Iesu, mi fysa chdi 'di i chael hi'n anodd iawn mewn Cae Briwsion radag hynny – no wê fyddai hynny 'di bod yn ddigon o fwyd i chdi,' meddai Jac-Do.

Erbyn hyn, mi oedd pawb wedi dechrau blino ac yn sydyn, mi feddyliodd Babo, 'dwi'n clwad yr ogla a dwi'n bendant wedi sefyll mewn sawl llwyth o'u cachu nhw, ond lle mae'r holl wartheg i gyd, ta?'

'Newydd eu troi nhw am y siediau dros y gaeaf, gawn nhw borthi ar seilej o dan do am weddill y gaea rŵan.' Wrth lwc, cae cymharol fach oedd Cae Bwrcas ac erbyn hynny mi oedd gan bob un well syniad o le'n union yr oeddan nhw. O'u blaenau, mi allen nhw weld y goleuadau ar hyd y lôn yn arwain at y Mans, a'r golau tu allan i'r tŷ ei hun hefyd i'w weld. Profiad rhyfedd iawn oedd bod wedi cerdded llwybr hollol wahanol i gyrraedd rhywle oedd yn amlwg iawn ym Mhorth Milgi er erioed. Ar ôl dringo'r ffens olaf a chroesi o dir Fferm Nant i goedwig fechan gardd y Mans, mi oedd y pedwar yn gwybod nad oedd troi'n ôl bellach.

Doedd neb i'w weld y tu mewn. Ar ôl symud yn ofalus

rhwng y coed a chyrraedd dechrau swyddogol yr ardd, doedd dim i awgyrmu fod John Parry yn agos i'r lle. Doedd ei gar ddim wedi ei barcio o flaen y Mans chwaith. Perffaith.

'Be dan ni'n neud rŵan?' Saim Bach ofynnodd y cwestiwn wnaeth eu llorio nhw i gyd. Doedd gan neb ateb iawn, neu o leia doedd gan neb gynllun clir o be'n union oedd i fod i ddigwydd nesa. Yr arweinydd, neu'r un feddyliodd am y syniad yn y lle cyntaf, safodd yn y bwlch.

'Welwch chi'r ffenest yna ar flaen y tŷ, ffenest fawr y parlwr? Mi ro'i bres fod o'n agor honna o leia unwaith y dydd. Mae'n edrych allan dros y pentra lle mae o'n gweld i hun fel brenin, a garantîd ei fod o wrth ei fodd yn cael i hagor hi er mwyn anadlu'i diriogaeth i'w sgyfaint bob dydd.' Doedd yna ddim eironi o gwbl yn llais Callum. Dyna pryd y chwerthodd Jac-Do yn uchel. Yno yng nghoed y Mans, yn hwyr yn nos, mewn dillad du, mi sylweddolodd pa mor hurt yr oeddan nhw'n edrych a pha mor hurt oedd y syniad o geisio torri i mewn i dŷ'r Parchedig.

Ond roedd hi'n rhy hwyr. Erbyn i Jac-Do orffen cael cip ar yr awyr gymylog a golau gwan y lloer, mi oedd Callum wedi croesi'r ardd ac wrthi'n rhoi ei bwysau o dan ffenest fawr y parlwr. Yn gynt na buwch yn pibo yn y parlwr godro, mi symudodd y ffenest ac mi gododd Callum ei hun ar y sil a defnyddio'i ddwylo i dynnu ei hun gerfydd ei fol i mewn i barlwr mawr y Mans. O fewn eiliadau, roedd y pedwar yn eistedd o dan y ffenest, ar lawr y parlwr, yn anadlu eu hofn a'u syndod.

'Sut ddiawl oedda chdi'n gwbod bod hi ar agor?' holodd Babo.

'Dwn im, ryw deimlad na dyna'r math o beth fydda fo'n neud,' meddai Callum, cyn mynd o amgylch yr ystafell yn cau'r cyrtans am y ddwy ffenestr fawr oedd yn wynebu'r pentra a'r ddwy oedd ar ochr yr ystafell yn edrych allan am y lle parcio.

Rhoddodd y golau ymlaen.

'Hei, o dan y ffenast yna o'n i'n cuddio noson o blaen,' meddai Babo. 'Sa well os fysa chdi 'di gwisgo menyg cyn gafael am ddim byd,' meddai Saim Bach, cyn mynd i'w boced a thynnu allan dwy faneg blastig hir lliw glas golau a'u tynnu am ei freichiau hyd nes bod dwy lawes y menyg yn cloi o dan ei geseiliau.

'Blydi hel! Be ffwc 'di rheina?' gofynnodd Babo yn piso chwerthin.

'Menyg ffariar pan ma'n rhoi tarw potal i mewn,' atebodd Saim Bach. Mi edrychodd y tri ar eu ffrind, crwn, bochgoch yn sefyll ynghanol parlwr y Mans yn gwisgo menyg llawes hir glas sy'n cael eu defnyddio i fynd mor bell â phosib i fyny twll tin buwch.

'Sgen i ddim syniad be ti newydd ddeud, na be ti'n wisgo a dim ots gen i,' meddai Callum. 'Reit, drychwch o gwmpas,' ychwanegodd cyn dechrau cerdded am ben arall yr ystafell.

'Ia, ond am be dan ni'n chwilio?' gofynnodd Jac-Do.

'Unrhyw beth, wbath sydd ddim yn edrych yn iawn, drws efo clo neu ryw bapurau mewn rhyw gwpwrdd neu rwbath... dwi'm yn siŵr... wbath sy'n edrych yn doji.'

Ar hynny, mi aeth y pedwar i gyfeiriadau gwahanol ym mharlwr mawr y Mans. Desg fawr pren tywyll a chwpwrdd metel o dan y bwrdd aeth â sylw Callum. Cabinet pren tywyll a drysau gwydr efo drôrs o dan y rheini aeth â sylw Babo. Mi aeth Saim Bach at y teledu oedd wrth ochr y lle tân i weld oedd rhywbeth o werth yn y fan honno. Pwyso ei droed i fyny ac i lawr ar un o styllod pren hir, tywyll y llawr wnaeth Jac-Do gan ei fod wrth ei fodd yn clywed y sŵn gwichian. Wrth i bawb geisio agor neu symud neu bwyso ar yr hyn oedd o'u blaenau mi waeddodd pawb 'taw!' ar yr un pryd i gyfeiriad Jac-Do. Gwrando yn ufudd wnaeth hwnnw a mynd i sefyll ar yr hen rŷg fawr hyll, coch a glas oedd o flaen y lle tân. Mi syllodd ar y lle tân am sbel. Un o garreg golau a rhyw liw llwyd yn rhedeg trwyddi. Aur oedd lliw y brwsh a'r rhaw fach i llnau o'i chwmpas ac mi benderfynodd Jac-Do gymryd cam yn nes i edrych i fyny'r simne i weld os y gwelai unrhyw beth o werth. Dim byd.

'Be ddiawl 'di hwn?' gofynnodd Saim Bach ar yr union bryd yr oedd Jac-Do yn tynnu ei wddw jiráff main allan o'r simne. Yn llaw y ffarmwr bach mi oedd yna focs llwyd wedi'i gysylltu efo sawl cebl i'r teledu.

'O, dwi'n gwbod, ma 'na ddau neu dri acw, dad yn mynnu y dôn nhw'n ôl ryw ddydd – peth i chwarae fideos. Sbia,' meddai Jac-Do, gan roi ei fysedd i mewn i ddau dwll yn nhu blaen y bocs mawr llwyd. Mi wthiodd y drysau bach o'r ffordd a chyhoeddi'n llanc.

'Ti'n rhoi tâp DV bach i mewn yn hwnna, sy'n eitha *old-school* a'r twll mwy 'na wrth i ochor, wel ma hwnnw yn mynd yn ôl yn bellach. Ti'n chwara tâp VHS yn hwnna.' Mi roddodd y bocs i lawr yn ôl o dan y teledu a phwyntio at focs llai gan ddweud mai chwarae DVD oedd pwrpas y bocs yna.

'Pam ddiawl bod angan yr hen stwff ma i gyd, dydi'r boi ddim efo internet a Iw-Tiwb?' oedd cwestiwn synhwyrol Saim Bach.

'Hei, dowch yma,' meddai Babo. Mi oedd ei ddwylo yn gafael mewn sawl bwndal o bapur ac mi aeth pawb yn nes i fusnesu.

'Sbiwch faint o bres ma Parry'n wario. Stwff o'r banc 'di hwn i gyd a bob hyn a hyn de, mae'n tynnu mil o bunna mewn cash. Rŵan, pam ddiawl bod boi sy'n byw i hun a sy byth yn mynd i nunlla yn llosgi trwy'r fath bres?' Mi lenwodd y cwestiwn y parlwr ond chafodd Babo ddim ateb.

'Na'i dynnu lluniau cyn sticio nhw'n ôl yn y drôr 'ma,' meddai cyn cario mlaen i wneud yr union beth hynny.

'Blydi hel, dach chi'n cael gwell hwyl na fi ar betha,' meddai Callum a chroesi'n ôl at y ddesg oedd wedi mynd â'i sylw. 'Fedra'i ddim agor drôrs y ddesg na'r cwpwrdd mawr metal ma,' meddai gan bwyntio o dan y ddesg. Ar hynny, mi afaelodd Saim Bach yn strap y dortsh lampio oedd ganddo dros ei ysgwydd ac agor y darn gwaelod oedd yn dal y batri. I mewn yn y fan honno, mi oedd yna bob math o geriach a thrugareddau – twŵls ar gyfer pob math o achlysuron. Mi aeth ar ei bedwar o dan y ddesg a cheisio ymbalfalu i weld a fyddai unrhyw un ohonyn nhw yn agor y drws metel, wrth i Callum roi'r dortsh yn ei blaen unwaith eto a'i phwyntio i gyfeiriad y clo. Mi oedd Babo yn brysur yn tynnu lluniau o'r papurau banc efo'i ffôn a Jac-Do unwaith eto â'i ben i fyny'r simna. Gan na allai weld dim byd, mi benderfynodd symud ei fysedd yn ôl ac ymlaen ar hyd y wefus lle'r oedd y simna yn gorffen a'r lle tân yn dechrau. Bingo! meddai yn ei ben. Yn ei law mi oedd yna oriad ryw dair modfedd o ran hyd, un gweddol newydd oedd yn amlwg yn cael ei ddefnyddio'n aml gan nad oedd fawr o huddug arno. Mi ddaliodd y goriad i fyny at olau mawr y parlwr cyn edrych draw at Saim Bach yn bustachu o dan y ddesg a Callum yn dal y dortsh.

'Hei,' meddai, 'triwch hwn' ac mi gerddodd draw at y ddesg.

'Lle gest di hwnna?' gofynnodd Callum.

'Yn y simna, o'n i'n meddwl fod o'n hen dŷ a bod y lle tân wastad yn cuddio'r botwm sy'n agor y *secret passage* mewn bob ffilm rioed felly es i fusnesu a ges i hwn.' Rhoddodd y goriad i Callum wrth i Saim Bach godi i wneud lle iddo. Doedd dim trafferth o gwbl wrth gael y goriad i mewn i'r clo ac mi agorodd yn syth.

Y tu mewn mi oedd yna ddegau o dapiau DV, VHS a DVDs a llond llaw o USBs. Mi edrychodd y pedwar ar ei gilydd, cyn i Jac-Do esbonio.

'Reit, wel dwi'n gwbod bod rhain yn ffitio i mewn yn y bocs yna sydd wrth y teli. Dwi ddim yn gwybod pam bod nhw yn fan'na a pam bod 'na gymaint ohonyn nhw.' Doedd neb arall yn siŵr chwaith ond yn amlwg mi oedd yna werth mawr i bob un i Parry Pregethwr.

'Na finna chwaith,' meddai Callum, 'ond dwi yn gwbod bod yna rwbath pwysig uffernol arnyn nhw, mae'n raid bod yna.' Ar hynny, mi dynnodd Saim Bach fag ffid gwartheg o du mewn i'w gôt fawr ddu a dechrau llenwi'r bag efo cynnwys y cwpwrdd mawr dur. O fewn hanner munud, mi oedd o wedi llenwi'r sach. Mi gaeodd Callum y cwpwrdd ac mi aeth Jac-Do â'r goriad yn ôl i'r simne. Doedd Babo fawr o dro yn twtio ar ei ôl ac ar ôl edrych o'u cwmpas mi aeth pawb ond Callum allan yn ôl trwy'r ffenest fawr. Mi wnaeth o ddiffodd golau'r ystafell, cyn agor y cyrtans unwaith eto a dilyn ei ffrindiau allan o'r ffenest a'i chau'n ofalus y tu ôl iddo. Sgrialodd y pedwar trwy'r coed, dros y ffens a rhoi eu traed ar Gae Bwrcas unwaith eto. Tawel a llawer iawn cynt oedd y daith yn ôl i Fferm Nant dros y caeau yr oedd Saim Bach yn eu hadnabod fel cledr ei law.

36

Dad

Yn ei wely, rhywle rhwng cwsg ac effro oedd Callum. Ar ôl taith hir a blinedig y noson gynt, mi oedd ei ben yn nofio efo gwahanol ddelweddau. Y parlwr. Y cwpwrdd. Menyg hir glas Saim Bach. Ond wedyn, mi oedd o'n gweld Kelly yno. Parry Pregthwr ei hun yn cyrraedd y Mans yn ei gar. Mi neidiodd Callum i fyny yn ei wely a llyncu llond ceg o ocsigen ac mi laniodd yn ôl yn y byd go iawn a'i ben yn troi.

Edrychodd o gwmpas ei ystafell. Ar lawr, wrth ochr y gwely, yn fwndel blêr oedd y dillad tywyll yr oedd o wedi eu gwisgo'r noson gynt. Rhwbiodd yr huwcyn cwsg o gornel ei lygaid a rhoi ei law allan am y bwrdd bach wrth ochr ei wely i chwilio am ei faco. Er fod y cyrtans wedi cau, roeddan nhw'n rhai tenau uffernol oedd wastad yn gadael y golau i lifo mewn. Mi ddechreuodd rowlio yn ei wely wrth feddwl am yr antur fawr yr oeddan nhw wedi ei chael. Be oedd ar yr hen dapiau yna i gyd? Jac-Do oedd â'r cyfrifoldeb o gael atebion iddyn nhw bellach. Mi daniodd Callum ei rôl ac mi rasiodd y nicotin trwy'i gorff yn gynt na'r gwaed oedd yn llifo trwyddo neithiwr.

Yn ei ben, mi oedd o'n clywed lleisiau y tri arall yn trin a thrafod cynnwys y bag ffid yr oedd Saim Bach yn ei gario dros ei ysgwydd, ar ei gefn. Yna, mi sylweddolodd Callum ei fod o'n clywed llais arall yn ei ben. O bell, rhywle yn y cefndir, mi oedd Parry Pregethwr yn sgwrsio. Mi dynnodd yn bendant iawn ar ei smôc, yn y gobaith y byddai'n dod at ei goed. Wrth chwythu'r mwg allan, mi sylweddolodd Callum ei fod yn dal i glywed llais y dyn yr oeddan nhw wedi torri i mewn i'w dŷ neithiwr. Neidiodd allan o'r gwely yn ei drôns ac edrych o'i gwmpas, yn meddwl ei fod wedi darfod drysu. Mi safodd yn stond ac mi gadarnhaodd ei synhwyrau fod Parry yn rhywle, mi oedd ei lais yn dod oddi tano. Shit! meddyliodd, mae o yma, yn y gegin, yn gwbod be dan ni wedi'i wneud.

Rhuthrodd at y cyrtans a'u hagor, cyn agor y ffenest. Mi daflodd weddill y smôc trwyddi ac mi aeth i chwilio am shorts a T-shirt i'w wisgo. Doedd wybod be oedd y boi wrthi'n ei ddweud wrth Doreen i lawr y grisiau, a'r unig ffordd i wynebu'r holl sefyllfa oedd mynd i lawr a dweud wrthi am be oedd yr hogiau wedi'i weld a sôn wedyn am ddadl Parry efo Cen Cem a'r ffaith ei fod wedi hudo Kelly draw i'r Mans yn hwyr yn y nos. Damia, meddai yn ei ben wrth agor drws ei lofft. Nid fel hyn oedd hi i fod. Be oedd ar y tapiau yna oedd y peth pwysica i gael ateb iddo rŵan, dim gorfod malu cachu o flaen ei fam am yr holl ddigwyddiadau a'r torri mewn i'r Mans. Sut ddiawl oedd Parry'n gwybod mor handi?

Unwaith eto, mi aeth yr olygfa trwy ben Callum, ac mi oedd o'n bendant fod pob golau wedi'i ddiffodd a'r cyrtans wedi eu hagor yn ôl cyn iddyn nhw adael. Efallai fod yna olion traed yn yr ardd y tu allan? Neu efallai fod un o'r lleill wedi gadael rhywbeth ar ôl oedd yn dweud yn union pwy oeddan nhw, côt efo label arni neu ffôn symudol?

Aeth i lawr y grisiau. Heb feddwl dim mwy am y peth, mi agorodd ddrws y gegin a chamu i ffau'r llewod. Yno, wrth y bwrdd yn tra-arglwyddiaethu oedd Parry. Paned ar y bwrdd o'i flaen ac un goes wedi ei phlygu dros y llall. Mi oedd hi'n berffaith amlwg mai fan hyn oedd y lle dwytha oedd Parry isio bod. Ymestyn am y gwpan wnaeth y goler wrth weld Callum a chymryd swig arall. Edrychodd Callum ar y dwylo rhawiau am y gwpan a'r ên anferth sgwâr, y trwyn a thalcen fel gwyneb craig chwarel a'i sbectol fawr dew. Ond y peth gwaetha oedd y gwallt brulcrim seimllyd yn llawn lliw potel. Mi oedd meddwl am hwn yn y Mans efo Kelly yn ei gynddeiriogi.

Yn sefyll wrth y sinc a'i chefn ato, yn edrych allan trwy'r ffenest am lwybr ochr y tŷ oedd ei fam.

'Ti'n iawn, washi?' meddai wrth droi i edrych ar ei mab. Mi oedd yna olwg boenus ar ei hwyneb, rhyw olwg nad oedd Callum wedi ei weld o'r blaen. Oedd hi wedi bod yn crio?

'Bob dim yn iawn?' gofynnodd Callum gan edrych ar Parry fel petai am ei dagu. Gafael yn ei gwpan a chymryd cegiad arall o de wnaeth hwnnw.

'Yndi tad, bob dim yn iawn, ond gwranda,' meddai Doreen, 'dwi am i chdi ista i lawr am funud a gwrando, dan ni angan sgwrs am betha sy wedi digwydd...'

'Ia, ond alla'i esbonio bob dim,' meddai Callum, cyn i'w fam ei ateb.

'Dim rhaid i *chdi* esbonio dim, Cal, jyst stedda yn fan'ma rŵan, wrth y bwrdd a mi ddaw bob dim yn gliriach.' Wrth sefyll yn ei hunfan o flaen y sinc yn wynebu'r ddau, mi daflodd Doreen y lliain sychu dros ei hysgwydd wrth edrych ar Callum yn parcio'i ben-ôl, yna ochneidio cyn dechrau.

'Nest di ofyn cwestiwn ti wedi'i ofyn yn amal eto ddoe, cwestiwn am dy dad...'

Erbyn hyn doedd gan Callum ddim clem be oedd yn digwydd. Allai o ddim cysylltu dim un o'r pethau – y dwyn, y tapiau, y cwestiwn am ei dad a Parry rŵan yn eistedd o amgylch yr un bwrdd â fo. Edrych o'i gwmpas i bob cyfeiriad oedd hwnnw, fel petae o'n ei gwneud hi'n amlwg i bawb fod ganddo bethau gwell i'w gwneud.

'Ti ddim angan gwbod bob dim, a dydw i'm 'di sôn rhyw lawar am sud ges i'n magu erioed – a mae yna reswm da iawn am hynny. Ches i fawr o gyfla Cal, a doedd tyfu i fyny yn dre ddim yn neis iawn i fi. Es i drwy lot o betha a gweld petha mawr, petha dwi 'di neud yn siŵr na fysa chdi na dy frawd yn gorfod wynebu byth. Dwi mor prowd ohonach chi – hogia ffeind, cry sydd heb fod yn drafferth o gwbl i fi. Chi ydi'r peth gora sy wedi digwydd i fi erioed. Ond fyswn i ddim yma heblaw bod rhywun wedi rhoi fi ar ben ffor ryw dro, rhywun nath helpu a gneud yn siŵr bo petha'n gwella i fi.'

'Doreen', meddai'r daran oedd yn eistedd wrth ochr Callum a bwrdd rhyngddyn nhw, 'pa mor hir ma hyn yn mynd i gymryd? Ti'n gwbod bod gin i wasanaeth pwysig yn capal heddiw. Yr unig reswm dwi yma ydi i ddeud na fydd yna ddim pres o gwbl i neb ac mi fydd 'na lythyr twrna yn fan hyn yn syth bin os ffendia'i bod yna rywun yn baeddu'n enw da i,' edrychodd draw at Callum wrth orffen ei frawddeg.

'O bydd ddistaw, John,' atebodd hithau gan adael Callum yn gegagored ynghanol ei ddryswch llwyr. Ei fam yn galw Parry yn John! Ei fam yn deud wrth y duw bach ei hun am fod ddistaw! Allai o ddim credu'r peth, fallai nad oedd heddiw am fod mor ddrwg â hynny wedi'r cwbwl, meddyliodd.

'Be dwi'n drio ddeud Cal, a paid â deud wrth Carl, mi na i neud hynny,' edrychodd Doreen i fyny am y to i chwilio am ryw nerth o rhywle, cyn edrych ar ei mab eto a gadael i'r geiriau adael ei cheg, 'be dwi'n ddeud ydi mai'r dyn sy'n ista wrth dy ochor di ydi dy dad.'

Gwenu a phiffian chwerthin wnaeth Callum, wrth i'w

wyneb droi yn un belen o ddryswch pur. Edrychodd ar ei fam i weld deigryn yn gadael ei llygaid, trodd i edrych ar Parry yn edrych arno a wyneb hwnnw fel petai Doreen heb ddeud dim mwy na faint o'r gloch oedd y býs nesa i dre. Am eiliad, mi feddyliodd mai rhyw fath o jôc oedd y cwbwl, ryw ffordd chwinclyd gan Parry i'w gosbi am dorri i mewn i'r Mans neithiwr. Ond na, mi oedd ei fam yn amlwg o ddifri. Dechreuodd Callum feichio crio.

'Na, dydi hynna ddim yn wir! Dwi ddim isho'r boi yna fod yn dad i fi... Be ti 'di neud mam? Be ti 'di neud i fi?' nadodd Callum wrth sefyll ar ei draed. Mi gamodd Doreen tuag ato efo'r bwriad o afael amdano.

'Paid!' sgrechiodd wrth iddi nesáu ac mi ddechreuodd Doreen grio dagrau caled.

'Dydi hyn yn newid dim, ti ddim yn perthyn i fi a dwi ddim yn perthyn i chdi. Os glywa'i chi'n deud petha amdana'i...' meddai Parry yn bwyllog, cyn cymryd swig arall o'i gwpan.

'Cerwch o'ma! Ewch o'ma'r basdad!' gwaeddodd Callum cyn anelu am y drws.

'Callum paid, plis paid,' meddai'i fam. Ond wnaeth o ddim hyd yn oed edrych arni. Fyddai o ddim wedi gallu edrych ar Parry heb un ai deimlo'n sâl neu ddechrau'i ddyrnu. Agorodd y drws cyn llwyddo rhywsut i ddefnyddio'i goesau jeli i ddringo'r grisiau i'w stafell wely. Ynghanol dyddiau o ddaeargrynfeydd yn ei fywyd, hon oedd yr un fwyaf. Doedd dim modd mesur hon ar ei raddfa richter fewnol gan ei bod mor bwerus.

Wrth gerdded ar y llwybr o'r tŷ am ei gar, rhyw hanner gwenu wnaeth Parry. Mi oedd o wedi mwynhau bob eiliad o weld y gwaed yn llifo o wyneb ei fab. Mi wnaeth o gnoi cil am yn hir ar yr effaith yr oedd ei eiriau wedi eu cael. Er ei fod o wedi casáu y ffaith ei fod yn dad iddo, ymfalchïodd yn y ffaith ei fod wedi tynnu'r gwynt yn llwyr o hwyliau rhywun oedd yn rhy fawr i'w esgidiau ym Mhorth Milgi. Wrth agor drws y car, mi drodd yn ei ôl i weld Doreen yn y ffenest, yn dal yn ei dagrau wrth ei wylio'n gadael. Doedd o'n teimlo dim wrth droi goriad y car.

37

Bocsys

'Rydan ni yma heddiw i gofio un o anwyliaid Porth Milgi, rhywun adawodd y byd yn llawer iawn rhy gynnar.' Gyrru'n syth o nymbyr ffaif Cae Gwyn i Gapel y Gad wnaeth John Parry'r Pregethwr. A dyna lle'r oedd o, yn y sêt fawr, funudau ar ôl cydnabod ei fab am y tro cyntaf yn ei fywyd, yn chwarae rhan y Parchedig. Y graig yn y gymuned, y dyn da oedd yn dad a chysur i bawb trwy bob storm. Tra roedd o yn ei bulpud, gorweddai gweddillion Branwen Williams yn y bocs pren o'i flaen.

Mi holltodd ochenaid fain, ddirybudd drwy fwriad Parry i gario mlaen efo'i frawddeg nesaf. Kathleen Williams Hen Felin oedd wedi ei gollwng i'r byd ei chlywed. Dim ond gan fam yn claddu'i phlentyn y gallai'r fath ochenaid fod wedi ei chreu. Yn eistedd yn rhes flaen y capel, dyma sgerbwd o ddynes yn ceisio mynegi ei phoen mewn wythnos oedd wedi rhwygo sawl crachen yn llydan agored.

Allai Yvonne Ashurst ddim tynnu ei llygaid oddi arni. Mi gafodd ei hochenaid ei llyncu gan furiau trwchus y capel, ac wrth i sawl un sychu dagrau a rhoi hances o dan eu llygaid, mi oedd Ashurst wedi rhyfeddu nad oedd dagrau yn llifo o lygaid clwyfus Kathleen Williams. Ar wahân i agor ei cheg ar yr eiliad honno, doedd dim emosiwn arall i'w weld. Eisteddai yno fel tae'i chorff yn cadw golwg ar bethau, ond bod ei henaid yn rhywle arall. Yn y bocs efo Branwen? Siŵr o fod. Yr un peth aeth trwy feddwl Ashurst am yr eildro o fewn chydig ddyddiau, sef go brin fod ganddi ddagrau ar ôl. Mi fyddai bron i ugain mlynedd o'u gollwng nhw yn gadael ffynnon unrhyw un yn sych grimp. Cododd ei phen i edrych ar Parry yn mynd i ailafael ar bethau.

'Mae unrhyw golled yn ergyd i unrhyw deulu, ond mae colli rhywun nad oedd ond newydd ddechrau blaguro yn fwy poenus na dim. Meddyg? Deintydd? Athrawes? Be allai Branwen fod wedi bod? Chawn ni fyth wybod.' Mi edrychodd Parry yn awdurdodol o gwmpas ei gapel, y gynulleidfa yn bachu fel gwlân ar weiren bigog ar bob un o'i eiriau. 'Ond yr hyn rydan ni *yn* wybod ydi y bydd yr atgofion amdani yn parhau am byth. Ei gwên lawn, ei pharodrwydd i helpu eraill a'i gallu i wneud ffrindiau dim ots i ble y byddai'n mynd.'

O fod wedi eistedd yn y cefn, mi oedd Yvonne Ashurst yn gallu gweld pawb a oedd yno. Dyna'r rheswm ei bod yno mewn gwirionedd, i weld a fyddai rhywun yno yn ymddwyn yn amheus neu yn rhoi unrhyw fath o reswm iddi ddilyn trywydd arall. Ond allai hi weld dim. Doedd yr un wyneb anghyfarwydd, doedd neb nad oedd hi'n ei adnabod neu o leia'n gwybod i ba deulu'r oeddan nhw'n perthyn. Roedd Porth Milgi i gyd yno wedi eu huno i gofio am y ferch na ddeuai fyth yn ôl. Gweddïodd i gael gweld unrhyw beth allai ei helpu, gan wybod fod y dystiolaeth yn erbyn Moi Saim yn denau os nad yn ddim.

'Does gen i fawr o gysur y galla'i gynnig i deulu a ffrindiau Branwen yma heddiw,' aeth Parry yn ei flaen, 'ond mi allwn obeithio bod yna rywfaint o gysur yn y ffaith bod ei llofrudd heddiw yn cael ei holi ac y daw dydd y farn iddo fel y gallwn ni i gyd gysgu ychydig bach tawelach wedi hynny.' Ac wrth orffen ei frawddeg, mi blygodd Parry ei ben i lawr i edrych ar y bocs o'i flaen.

***

Wyth milltir i lawr y lôn, sefyll mewn bocs pren gwahanol iawn oedd Moi Saim wrth iddo wynebu'r fainc yn Llys Ynadon y dre. Doedd y cais ddim yn un cymhleth iawn, cais gan yr heddlu i holi'r dyn o'u blaen am ragor o amser ar amheuaeth o lofruddio. Cadarnhau ei enw llawn a'i gyfeiriad yn llawn oedd yr unig beth wnaeth Moi, a'i handcyffs yn dynn amdano. Go brin ei fod o yno am fwy na thri munud, mi esboniodd cyfreithwraig yr heddlu bob dim mewn chwinciad ac mi gafodd Moi ei arwain yn ôl o'r doc i fan heddlu fyddai'n ei gludo i'w gell yn yr orsaf heddlu unwaith eto. Hurt bost meddyliodd, doedd dim pwrpas o gwbl iddo gael ei lusgo ar draws y dre i hynny. Wrth eistedd yn y fan ar ei ffordd yn ôl, mi ddaeth anobaith ei sefyllfa yn un don sur o grombil ei stumog. Mi chwydodd Moi Saim dros ei esgidiau ac ar lawr y fan.

38

Sied

BYW MEWN BYNGLO crand iawn oedd Jac-Do, efo'i fam a'i dad, a'r bynglo hwnnw wrth ochr busnes y teulu. Ei hen daid oedd y cyntaf i ddechrau gwerthu ffid a stwff i ffarmwrs cyn i'r busnes fynd o un llaw i'r llall. Doedd Jac-Do erioed wedi gweithio'n galed iawn yn yr ysgol, gan wybod mai fo fyddai'n gyfrifol am y busnes yn y pen draw. Er fod ei chwaer yn dal i fyw'n lleol, doedd ganddi ddim diddordeb mewn bod yn rhan o'r busnes ac mi oedd y teulu'n parchu hynny. Fyddai Jac-Do ddim wedi gallu gofyn am well – pobol, lle a busnes oedd wedi bod o'i gwmpas ers pan oedd o'n gallu cerdded. Dyna lle cafodd Chris John Davies ei hiwmor a'i ffraethineb, yn byw a bod ynghanol ffermwyr a thynnu coes. Yn ddyn ifanc, tal, yn goesau i gyd – fo oedd yn gyfrifol am lawer iawn o'r gwaith archebu stoc a chadw trefn. Ei lygaid tywyll a'i wallt du sgleiniog oedd wedi golygu mai Jac-Do oedd ei enw i bawb, er erioed. Yr unig gŵyn gan Jac-Do oedd ei fod o'n byw ymhellach o'r traeth na phawb arall a bod neb byth yn ystyried hynny pan oedd y criw yn trefnu i gyfarfod yn y fan honno.

Trwsio oedd y peth mawr arall i'r teulu, a hynny'n dân ar groen mam Jac-Do. Ei gŵr oedd y prif fai ac o bosib ei dad yntau. Doedd yr un ohonyn nhw'n gallu stumogi'r syniad o daflu unrhyw beth oedd yn arfer gweithio, rhywbeth oedd yn arfer gwneud rhyw joban neu'i gilydd. Canlyniad hynny oedd y sied. Ym mhen draw'r iard, iard oedd yn cynnwys yr holl bethau fyddai rhywun yn disgwyl eu gweld o giatiau i bolion ffensio i sawl palet o fwyd anifeiliad, mi oedd y sied. Yn y fan honno yr oedd pob dim nad oedd yn haeddu cael ei daflu yn byw – tri thractor a'u darnau ymhob man, hen ystol codi bêls bach i ben y das wair, hen ddyrnwr, pedwar hen beiriant golchi dillad a sawl hen olwyn tractor, gwifrau, hen ddarnau metel, powltiau, hoelion mewn hen focsys hufen iâ mawr, sawl hen gryman. Ac ym mhen draw y sied roedd yr hyn oedd yn arfer bod yn hen swyddfa. Chydig o gadeiriau, un ddesg a degau o beiriannau llai wedi eu storio yn weddol dwt. Yn y fan honno y byddai Jac-Do yn lladd amser yn ceisio atgyfodi rhyw hen declyn neu'i gilydd. Newid ffiwsys, haearn sodro i ail-greu system weirio – be bynnag oedd ei angen i roi gwynt o'r newydd i unrhyw beth. A dyna lle'r oedd y criw wedi trefnu i gyfarfod y noson honno.

Mi sylweddolodd Callum, Saim Bach a Babo yn syth nad oedd Jac-Do yn fo'i hun o gwbl. Roedd o'n welw, dim gwynt yn ei hwyliau a dim gronyn o'r hiwmor a'r tynnu coes arferol.

'Hei, be odd ar y tapia, ta? Ffilmia budur yr hen ficar? Fo ydi'r pregethwr pornograffi ta be?' gofynnodd Callum ac mi chwerthodd y ddau arall mewn ymdrech i godi hwyliau.

'Rhyw fath, ond fyddwch chi ddim yn chwerthin yn mynd o'ma.' Erbyn hyn, mi oedd y tri oedd newydd gyrraedd yn eistedd a Jac-Do yn sefyll ynghanol y llawr.

'Dwi ddim yn siŵr be ma hynny'n feddwl,' meddai Babo, gan sylweddoli bod yna ryw bwysau mawr o amgylch ei ffrind. Mi aeth Jac-Do i'r llawr ar ei gwrcwd a rhoi'i ddwy law trwy'i wallt trwchus cyn rhyddhau ochenaid fawr. Doedd y lleill ddim yn siŵr iawn be i'w wneud na'i ddweud ac mi oeddan nhw'n edrych ar ei gilydd wedi dychryn erbyn hyn. Pan safodd Jac-Do yn ôl ar ei draed, er nad oedd neb gant y cant yn siŵr yng ngolau gwan y strip-leit uwch eu pennau, mae'n debyg fod yna ddagrau yn ei lygaid.

'Dwi 'di bod drwy bob un tâp VHS, DV, DVD a'r USBs sy 'na. Dwi'm yn siŵr iawn faint o'r un rhai sydd ar ambell i beth – be dwi feddwl ydi mae 'na rai o'r tapiau VHS 'di cael eu llosgi ar DVD a dydyn nhw i gyd ddim yn lunia clir iawn o bawb.'

Mi drodd Jac-Do ei gefn ar weddill y criw ac at y set deledu fawr y tu ôl iddo. Mi oedd o wedi rhoi peiriant VHS, DVD a pheiriant chwarae DV yn sownd iddi. Mi bwysodd *play* ar y peiriant VHS, a rhwng y llinellau du a gwyn yn mynd i fyny ac i lawr y sgrin bob hyn a hyn, mi welodd y criw ferch ifanc yn cerdded yn ôl ac ymlaen o dan olau cryf. Dim ond côt oedd ganddi amdani a doedd dim sŵn arall i'w glywed, dim cerddoriaeth na dim sŵn o'r ystafell. Yn union fel cwningen yn cael ei dal mewn golau lamp, mi oedd yna olwg ddryslyd, ar goll arni. Serch hynny, mi oedd hi'n dal i wenu, yn ceisio cerdded mewn rhyw ffordd – ac o bosib yn dawnsio? Oedd yna fiwsig felly yn y stafell? Doedd dim modd i'r criw yn y sied allu dweud. Yna, o'r tywyllwch, mi ddaeth yna ddwylo ar ysgwyddau'r ferch a bellach mi oedd hi'n noeth. Mi ddilynodd linell y golau a cherdded yn nes at y camera. Yn dinoeth, mi drodd i gerdded yn ôl o le ddaeth hi. Yna, o'r tywyllwch, i'r dde o'r sgrin – braich. Llaw yn gafael yn ei phen ôl a'i fwytho – hithau'n stopio yn ei hunfan i'r llaw gael gwneud fel yr oedd hi'n mynnu. Slap gyflym iddi wedyn symud yn ei blaen, yn union fel ffermwr yn pwyso a mesur prynu anifail yn y mart. Llaw arall o'r tywyllwch, y tro yma o'r chwith yn mwytho ei bronnau. Pan oedd hynny drosodd, fe ddaeth yn ôl i wynebu'r camera ac mi gamodd heibio'r lens. Y golau a'r tywyllwch y tu hwnt oedd yr unig beth ar y sgrin bellach.

Mi oedd criw y sied yn fud. Roedd Saim Bach yn wyn fel y galchen, Babo yn rowlio smôc – felly hefyd Callum. Mygu ar ddistawrwydd y stafell wnaethon nhw am sbel cyn tanio'u smôcs. Edrych y tu hwnt i'w ffrinidau, i ryw wacter nad oedd yn bodoli wnaeth Jac-Do.

'Be sy'n digwydd nesa?' meddai Callum o du draw i'w fwg cysurus. Gan fod y dyddiau dwytha wedi ei lorio ar sawl achlysur, doedd ganddo ddim ofn gofyn. Heb ddweud dim, mi bwysodd Jac-Do ffast fforward ar y peiriant i weld y ferch yn dychwelyd i'w lle ymhen hir a hwyr. Mwy o ddwylo, diflannu i'r tywyllwch, ffast fforward, yn ôl â hi dan y golau. Wedyn, mi stopiodd y tâp VHS gan droi at y peiriant DV. Mwy o'r un peth, yr union symudiadau ond bod y gerddoriaeth i'w chlywed y tro hwn er nad oedd y gân yn gyfarwydd ac mi oedd y llun yn llawer cliriach. Ond y gwahaniaeth mwyaf? Doedd hon ddim yr un ferch o gwbl. Gwallt hir du oedd ganddi a chorff llawer mwy main. Llaw, dwylo, braich, diflannu, llaw, dwylo, braich, diflannu. Roedd wyneb y ferch yn gymysg o ofn, dryswch a rhyw fath o wên ryfedd, drist.

'Stopia,' meddai Callum, rhywle rhwng siarad a gweiddi. Codi ar ei draed wnaeth Saim Bach a mynd i gael awyr iach tra roedd wyneb Babo wedi ei gladdu yn ei ddwylo.

'Faint o ferched gwahanol ti 'di weld?' gofynnodd Callum.

'Nes i stopio cyfri ar ôl un ar ddeg.' Mi oedd pen Callum yn troi.

'Y peth gwaetha ydi pa mor ifanc ydyn nhw,' meddai Jac-Do, 'does 'na neb yna dros un deg saith fyswn ni ddim yn meddwl. Un deg pedwar ella ydi'r un ieuenga dwi 'di weld. Ffordd ma nhw i gyd yn edrych 'fyd, yn ryw ddryslyd neu fatha tasa nhw'n cerdded yn eu cwsg… dwi'n meddwl bod nhw 'di cael drygs. A ti'n gwbod na ddim ryw ffilm fudur o Holland ydyn nhw mond o'r fflicio sydyn dwi 'di neud. Dwi 'di nabod dwy ohonyn nhw – Rachel Joseph a Claire Williams a dydyn nhw'n amlwg ddim yn gyfforddus na'n hapus iawn efo be ma nhw'n neud. A lle ma nhw'n mynd off camera bob hyn a hyn? Dim angan jiniys i ateb hynny nagoes?' Mi steddodd Jac-Do lle'r oedd o'n sefyll gan groesi ei goesau a dechrau gwneud rôl.

'Ma hyn yn hiwj,' meddai Babo tra roedd Saim Bach yn cerdded yn ôl i mewn. 'Ond be ma'n brofi? Bod y Pregethwr yn byrfyrt a bod o'n llenwi stafall efo llond llaw o byrfyrts erill? Pam arall fysa'r tapia yn i le fo, de? Dim dowt o'r llunia yna i gyd bod hyn wedi bod yn mynd ymlaen yn Porth Milgi ers blynyddoedd.'

'Stopia plis, Babo,' meddai Saim Bach â phanig yn ei lais.

'Paid, dwi 'di bod yn gweld y fideos yma yn y mhen bob tro dwi'n cau'n llgada,' meddai Jac-Do, 'dim ond pwt bach o be welishi dwi 'di ddangos i chi. Y peth gwaetha ydi ma pwy bynnag sy yn y tywyllwch yn gwbod yn iawn be ma nhw'n neud. Y ffilmio, y fframio ond yn bwysicach fyth y goleuo – ma nhw 'di gwneud yn siŵr fod y twllwch yn eu cuddio nhw'n llwyr am byth tra fod y genod ifanc yna ar goll heb nunlla i fynd.'

'Awn ni at y cops,' meddai Saim Bach.

'Pwy, Iolo?' oedd cwestiwn eironig Babo, 'a deud be? Nathon ni dorri i mewn i'r Mans a dwyn rhein a ma'r petha mwya doji erioed arnyn nhw, ond mae o mor uffernol newch chi ddim coelio ni, mashŵr.' Oedd yn bwynt da iawn i'w wneud.

'Oes na wbath, *wbath* ar y tapia 'na sy'n profi wbath? Ti'n deud bo chdi 'di nabod dwy yn syth, oes 'na rywun arall ar y tapiau yna dan ni'n nabod?' Doedd o ddim yn siŵr oedd pawb yn meddwl yn yr un cylchoedd â fo ond croesi pob dim oedd Callum na fyddai yna fideo o Kelly yn eu plith. Dyna pryd y cododd Jac-Do ar ei draed a mynd yn ôl at y peiriant DV.

'Oes,' meddai, 'os oeddan ni'n chwilio am *smoking gun*, mae o yma. Yn ganol y tapia DV odd hwn, nes i roi ffast fforward i bob un a dim ond stopio os odd yna ryw ola'n newid neu rwbath gwahanol yn digwydd – a mi nes i nabod y gwynab yma.' Mi roddodd y tâp i mewn tra roedd calon Callum yn curo yn y gobaith na welai wyneb Kelly. A dyna lle'r oedd hi, ar dâp oedd yn gliriach o lawer na'r VHS unwaith eto. O'u blaenau nhw oedd y ferch oedd wedi ei gweld ers dyddiau ar Facebook, Twitter a'r papurau newydd. Branwen Williams. Mi glosiodd y tri arall at y sgrin, bron nad oedd eu trwynau yn cyffwrdd ei wyneb hi.

'Blydi hel… howli shit, dwi'm yn coelio!' meddai Babo. Wrth gamu yn ôl o'r sgrin, doedd neb yn siŵr iawn lle i ddechrau.

'Fydd raid mynd at y cops rŵan, ma hyn i gyd yn fwy na bob un ohonon ni,' oedd y geiriau llawn panig ddaeth gan Saim Bach. Doedd dim modd anghytuno fod hynny'n wir.

'Ond mae 'na fwy,' meddai Jac-Do. Ar ôl pwyso *play*, mi welodd y pedwar ddawns neu symudiadau Branwen Williams yn parhau wrth iddi nesáu at y camera.

'Cadwch lygaid ar i llaw hi,' meddai Jac-Do ac mi welodd pawb Branwen yn nesáu at y lens, côt fawr amdani, dros ei ffrog haf, gwta. Yna, mi symudodd ei llaw fel mellten y tu hwnt i'r camera, ac o fewn eiliad wedi hynny, mi oedd hi yn ei hôl o flaen y lens. Ond y tro yma, mi oedd ei llaw yn gafael am goler rhywun. Mi oedd hi wedi llusgo'r wyneb o du ôl y camera i'w du blaen i'r byd ei weld. Mi rewodd Jac-Do y tâp DV yn y fan a'r lle. Yno, o'u blaenau yn llenwi'r sgrin efo'i wyneb anferth oedd Parry Pregethwr. Go brin nad oedd ei wyneb yn y ffrâm am fwy na phum eiliad, ond mi oedd yn ddigon. Mi bwysodd Jac-Do *play* drachefn i weld cefn i ambell unigolyn, ambell i fraich yn cosi'r golau mawr a sawl coes yn diflannu o'r stafell y tu ôl i Branwen Williams. Yna, mi aeth y llun yn farw.

Dechrau pwmpio yn ddidrugaredd wnaeth calon Callum. Parry Pregethwr oedd pawb arall wedi'i weld yn rhan o rywbeth uffernol. Mi oedd o newydd weld ei dad a doedd yr un o'r lleill yn gwybod hynny. Yna, mi gafodd ei daro gan ordd y tu mewn i'w ben wrth iddo ystyried bod ei fam yn un o'r merched oedd Parry wedi eu targedu. Mi oedd y sgwrs yr oeddan nhw wedi ei chael yn y gegin y bore hwnnw yn gwneud mwy o synnwyr o lawer erbyn hyn.

Yn yr eiliadau yna, tra roedd Callum yn trio pwyllo, mi aeth Jac-Do allan i gael gwynt, mi oedd Saim Bach yn cerdded yn yr un lle yn ôl ac ymlaen gan nad oedd o'n gwybod be arall i'w wneud, ac mi oedd Babo yn dal i eistedd yn rhyw hen gadair yn tyllu twll yn y llawr efo'i lygaid.

Ers blynyddoedd, mi oedd y pedwar wedi bod trwy bron iawn yr union un profiadau â'i gilydd. Chwarae, gwneud dryga, siarad am ferched, smocio, dechrau yfed; pob dim y byddai unrhyw griw o ffrindiau o'r un pentra yn ei brofi. Ond hyn? Go brin fod yr un criw ifanc wedi gorfod rhannu y fath brofiad erchyll. O'r funud honno, mi oedd pob un ohonyn nhw wedi newid am byth ac wedi eu gwasgu i fyd tywyll, hyll ac annifyr a hynny yn y pentra oedd wedi bod yn grud iddyn nhw.

Wrth gerdded yn ôl i mewn, mi aeth Jac-Do yn syth at y tapiau a dechrau eu rhoi mewn rhyw fath o drefn.

'Dowch, ma'n rhaid i ni fynd at y cops efo hein,' ac mi aeth Babo a Saim Bach ati i'w helpu.

'Na,' meddai Callum, 'stopiwch!' Ond wnaeth yr un o'r lleill wrando, dim ond cario mlaen i lwytho sach ffid bwyd defaid y noson o'r blaen efo'r un tapiau. Dyna pryd yr aeth Callum atyn nhw a gafael yn y sach.

'Stopiwch plis, plis stopiwch!' gwaeddodd, yn beichio crio. Sefyll yn edrych yn synn oedd y tri arall bellach. 'Dwi'n gwbod be sydd angan neud a dim mynd at y cops ydi hynny.' Erbyn hyn mi oedd o wedi pwyllo ac yn tynnu'r tapiau o'r sach ac yn eu rhoi yn ôl ar ben y peiriannau. Doedd yr un o'i ffrindiau erioed wedi ei weld mor emosiynol.

'Jac-Do, Babo, fedrwch chi roi y stwff yma yn rwla fel fedran ni gael o i fynd ar yr we?' Edrych ar ei gilydd wnaeth y ddau cyn ateb ar yr un pryd,

'Medran.'

'Fedra i roi bob dim ar gardyn HD,' meddai Jac-Do. 'A fedra'i roi nhw ar YouTube, Facebook neu be bynnag wedyn – ond sa *raid* iddyn nhw fynd allan yn fyw i'r byd weld nhw. Sgin i ddim clem be sy'n mynd trwy dy ben di ar hyn o bryd, ond fysa stwff fel hyn yn mynd i fyny a'n cael i dynnu i lawr yn syth oni bai bod o'n mynd allan yn fyw,' meddai Babo.

'Eidial, da iawn, dyna'n *union* dan ni angen neud. Geith y lluniau fynd allan yn fyw.' Erbyn hyn, doedd yr un o'r lleill yn siŵr be oedd yn mynd ymlaen ym mhen Callum ond roedd y sicrwydd a rhyw dôn benderfynol yn ei lais yn ei gwneud hi'n amhosib iddyn nhw anghytuno. Er gwaetha'r munudau dwytha, munudau a fyddai'n aros efo nhw am byth, mi oedd Callum yn gweld pethau'n glir iawn iawn yn ei ben am y tro cynta'r wythnos yma.

'Ocê, na'i esbonio bob dim yn iawn eto ond yn syml iawn ma raid i'r byd gael gweld pwy ydi'r boi ma go iawn, dim drwy ryw *police investigation* a ryw achos yn cwrt. Babo, fedri di ffilmio ryw lunia neis o gwmpas pentra yn dangos y lle yma ar i ora?'

'Dim probs, fedra'i gael menthyg drôn Elfed Saer i gal stwff neis o'r awyr,' atebodd.

'Perffaith, a mi fyddwn ni angan ryw gân neis – wbath ypliffting sy'n mynd yn hollol ddramatig,' ychwanegodd Callum.

'Andrea Bocelli,' meddai'r llais o'r tu ôl iddyn nhw. Er fod y geiriau wedi dod o geg Saim Bach, doedd neb yn credu'r hyn yr oeddan nhw wedi'i glywed ac mi oedd eu hwynebau nhw yn adlewyrchu hynny.

'Boi opera, tenor, llais fel angel.' Mi edrychodd y tri ar ei gilydd a dechrau chwerthin. Doedd y ffarmwr bach byth yn stopio eu synnu.

'Sgen i dim clem pwy ydi o na sud bo chdi'n gwbod,' meddai Callum, 'ond os ydi o'n ticio'r bocsys yna, mi awn ni amdani! Reit, na'i fynd drwy bob dim efo chi ar FaceTime yn nes at yr amser.' Ac fel petae dim wedi digwydd, mi adawodd y pedwar y sied yn benderfynol o wneud yn iawn am yr hyn roeddan nhw newydd ei weld.

39

Masarnwydden

Sawl hogan ifanc oedd heb ddod ymlaen? Sawl merch nad oedd mewn unrhyw sefyllfa i fynd at unrhyw awdurdod oedd wedi bod trwy uffern y Cadeirydd a'r criw ym Mhorth Milgi? Dyna oedd yn mynd trwy feddwl PC 7219. Y plismon rhech, meddyliodd Iolo wrtho'i hun. Tu ôl i'r ddesg yng ngorsaf Porth Milgi oedd o unwaith eto ac ar y bwrdd o'i flaen roedd amlen arall. Mae'n rhaid fod yna werthfawrogiad go iawn o'r hyn oedd o wedi'i wneud tro yma, gan fod yr amlen yn cynnwys £2,000 mewn dau fwndel twt o £1,000.

Syllodd ar yr amlen, cyn llyncu cegiad iach iawn o Tennessee Jack. Dyna'r un llosg cyson oedd o'n gallu'i fwynhau. Cymro oedd Jack Daniels, ei deulu wedi hwylio o Aberteifi i America, mae'n debyg. Dyna oedd y peth nesa aeth drwy feddwl Iolo wrth iddo edrych o gwmpas y stafell foel, oeraidd yma. Am y tro olaf? Braf oedd meddwl am gyn-deidiau Jack yn hwylio o Gymru ac yn dechrau o'r dechrau yn rhywle arall. Oedd yna ddewis arall? Petai'n aros ym Mhorth Milgi, mwy o arian i guddio mwy o gelwydd fyddai yna ac yn y pen draw mi fyddai'r euogrwydd oedd yn llifo o'r botel yn ei fwyta'n fyw. Gwibiodd ei feddwl yn ôl ychydig ddyddiau i ddechrau hyn i gyd, i'r alwad ffôn gan Dyfrig Bonc, yn dweud bod yna dalp o un o'i gaeau wedi disgyn ar y traeth.

Anelu hi'n syth am y traeth wnaeth Iolo'r eiliad y rhoddodd y ffôn i lawr, gan wybod bod y cwymp tir yn yr union le lle'r oedd o wedi claddu corff Branwen Williams. Ar ôl mynd heibio i Bonc i esbonio ei fod o am fynd i lawr yno'n syth, rhag ofn y byddai angen cau y llwybr cyhoeddus oedd yn mynd ar hyd gwaelod y cae, mi wibiodd Iolo draw i wynebu ei hunllef. Chymrodd hi fawr o amser i weld lle'r oedd hi'n gorwedd, fel petae'r storm wedi cynllunio yn ei erbyn. Doedd hi ddim ar y traeth ei hun, ond rywsut rhyw dri deg troedfedd uwchben y traeth, wedi'i dal yn berffaith gan y mwd a'r baw o'i chwmpas. Yno, i'r byd allu gweld ei phen ac ychydig o'r ffrog yr oedd hi'n ei gwisgo. Amlwg iawn hefyd oedd y groes a'r gadwyn o dan ei phenglog. Mi geisiodd Iolo neidio a stryffaglio i'w cyrraedd. Ar ôl ymdrech wyllt, mi sylweddolodd bod ôl ei esgidiau a fflachiadau gwyllt ei dortsh yn gwneud pethau'n waeth. Mi bwyllodd.

O weld y byddai'r llanw yn dod yn agos iawn at hanner ffordd i fyny'r tirlithriad diweddara yn yr oriau nesa, mi oedd o'n hapus yn ei groen y byddai natur yn cael gwared ar olion ei esgidiau. Petai un neu ddau ar ôl, wel, bŵt ddigon cyffredin nad oedd yna enw i gwmni na dim ar ei gwaelod oedd hi, esgid wedi ei chynhyrchu ar raddfa gan gwmni o Cheina i holl blismyn Prydain. Wedyn o feddwl yn ofalus, go brin fod yna neb wedi bod ym mhen draw y traeth i weld y golau o'i dortsh. Pwy fyddai wedi bod yn cerdded y ci neu'n newid yn y cytiau yr adeg honno o'r nos? Mi dawelodd hynny ei feddwl. Y poen mwyaf oedd y gadwyn a'r groes, os oedd yna unrhyw dystiolaeth DNA gwerth ei chael, yna ar y groes fyddai'r dystiolaeth.

Dyna pam yr aeth o i weld Parry Pregethwr yng Nghapel y Gad, i geisio'i rybuddio bod yna dystiolaeth allai'u suddo nhw. Ond chafodd o ddim cyfle i esbonio, dim ond gorchymyn i wneud yn siŵr ei fod o'n glanhau pethau unwaith eto – dim ots sut. Felly ar y cyfle cyntaf, bachu'r gadwyn oedd ei unig ddewis. Mi wnaeth hynny efo'r bwriad o gael gwared arni fel na fyddai neb yn ei gweld fyth eto. Ond yn yr amlen ddiweddara, a doedd Iolo ddim yn gwybod sut fod y Cadeirydd yn gwybod fod y gadwyn ganddo fo, mi oedd yna nodyn eto fyth yn gofyn iddo bostio'r gadwyn yn ei blaen. Postio'r gadwyn allai gynnwys tystiolaeth i gyfeiriad rhyw flwch post yn swyddfa bost y dref. Pam? Dyna oedd y cwestiwn mawr amlwg. Ai'r Cadeirydd oedd wedi prynu'r gadwyn? Oedd y Cadeirydd am ei chadw fel rhyw arwydd o fod uwchlaw pawb a phopeth? Oedd y gadwyn yn symbol o fod yn gallu cyrraedd unrhyw un a dylanwadu ar unrhyw un? Fyddai o fyth yn cael yr atebion ac felly wrth ochr yr amlen a'r £2,000, mi oedd yna amlen arall yn cynnwys tystiolaeth o achos o lofruddiaeth yr oedd o rŵan fel plismon am ei phostio at yr un oedd â'r atebion i gyd.

Ffrwydrodd yr euogrwydd yn ei ben unwaith eto ac mi lyncodd gegiad arall o'i ffisig. Neidiodd ar ei draed a gafael yn yr amlenni ac anelu am y drws. Edrychodd o amgylch Gorsaf Heddlu Porth Milgi am y tro olaf un. Ar ôl postio'r gadwyn yn ei blaen, mi fyddai Iolo'n diflannu a dilyn cysgod Jack i rywle. Fel yr oedd o'n agor y drws, mi glywodd lais yn dod o radio'r ffôrs yng nghornel y stafell.

'This is PC FIVE NINE EIGHT TWO ZERO from HQ control centre, we've just recieved a report of a body being discovered at the seaside village of Port Mile Gee in Western Division area, do you recieve PC 7219, over.' Corff arall, llanast arall meddyliodd Iolo wrtho ei hun. Doedd yr hyn yr oedd o newydd ei glywed ddim yn ddigon i dynnu'r plismon yn ôl i mewn i'r orsaf. Caeodd y drws ac anelodd am ei gar.

***

Munud? Dau funud? Doedd DI Ashurst ddim yn siŵr faint o amser oedd wedi mynd heibio ond mi oedd y distawrwydd ar ôl i'r neges fynd allan gan HQ yn mynd ar ei nerfau.

'Lle ddiawl wyt ti Iolo? Coda'r blydi radio'. Ond wnaeth o ddim, a gan fod Ashurst yn ei char rhwng y dre a Phorth Milgi, mi god\odd y radio yn y Mondeo a dweud y byddai'n ymchwilio ei hun. Ar ôl derbyn y manylion am y cyfeiriad a'r hyn yr oeddan nhw'n wybod, mi roddodd y golau glas o dan y bonat ar flaen y Monedo ymlaen a rhoi'i throed i lawr. Dau gorff ym Mhorth Milgi? Mi oedd ei syniad o yrfa ddiflas yn ôl yn ei milltir sgwâr wedi ei chwalu'n deilchion erbyn hyn.

Hen ffermdy bychan wrth y fynedfa i Blas Bodlondeb oedd y Berllan. *Lodge* ar gyfer cipar yr ystad yn wreiddiol, pan oedd hwnnw yn byw ar y safle flynyddoedd mawr yn ôl. Y cipar presennol oedd wedi ffonio'r heddlu ar ôl bod yn bwydo'r ffesantod ar ei rownd foreuol. Yn y coed y tu ôl i'r Berllan oedd y corff, yn crogi oddi ar gangen dew o goeden fasarnwydden. O dan y goeden honno y gwnaeth Yvonne Ashurst gyfarfod Wilias Cipar, a oedd erbyn hyn yn cael paned boeth gan weithwr arall ar Stad Bodlondeb.

'Ddrwg iawn gen i eich bod chi wedi gorfod gweld hyn,' meddai'r ditectif. Mi oedd cefnau'r ddau wedi eu troi at y goeden a'r corff, yn amlwg wedi gweld digon ar olygfa fyddai'n aros yn eu meddyliau am byth.

'Ma raid i mi ofyn, ydach chi'n nabod o?' Mi gymrodd y cipar swig o de o'r gwpan yn ei ddwylo crynedig.

'Yndan, Kenneth, Kenneth Lewis. Mae o'n rhentu'r Berllan ers blynyddoedd mawr. Mae'n athro yn Ysgol Cae Garw.' Mi ddiolchodd Ashurst, cyn dweud y byddai swyddog yn dod i gymryd rhagor o wybodaeth ganddyn nhw'n fuan.

Cerddodd yn nes at y corff uwch ei phen a doedd dim dwywaith pwy oedd o'i blaen. Y mwstásh mawr coch, y sbectol drwchus, y gwallt gwyllt, y trowsus melfaréd a'r peth agosaf at ben Ashurst oedd y sandals amlwg. Ymhellach yn ôl, mi oedd yna ystol ac mi oedd hi'n hawdd dilyn llwybr y rhaff a gweld sut yr oedd o wedi llwyddo i roi diwedd i'w hun. Ac ar yr un tanc top oedd o'n ei wisgo pan gafodd y ddau sgwrs yn yr ysgol y dydd o'r blaen, mi oedd yna bapur gwyn plaen efo un gair wedi ei sgwennu mewn ffelt-tip du:

SORI.

Doedd dim modd i Ashurst brosesu'r hyn oedd yn digwydd. Un o athrawon hynaf yr ysgol, athro oedd wedi ei dysgu hi flynyddoedd yn ôl, bellach yn gelain o dan y goeden fan hyn. Oedd yna gysylltiad efo'r ymchwiliad i farwolaeth Branwen Williams? Mae'n rhaid fod yna. Ai Cen Cem oedd y llofrudd? Oedd o wedi lladd un o'i ddisgyblion? Erbyn hyn, doedd hynny ddim yn swnio'n amhosib. Os felly, mi *oedd* y dyn anghywir yn y ddalfa. Oedd y corff uwch ei phen yn gadarnhad terfynol ei bod yn dditectif sobor o wael? Mi ddechreuodd DI Ashurst ddilyn ei thraed yn ddyfnach i'r goedwig wrth geisio gwneud pen a chynffon o bethau.

40

Y Mans

WRTH GERDDED TRWY Borth Milgi, mi oedd Callum wedi gwneud yn siŵr bod yna boster yn cael ei roi ar bob polyn lamp a ffôn ac yn rwla lle'r oedd yna le.

PORTH MILGI AR FFILM:
CAPEL Y GAD, HENO, 7YH

Diolch i Carl ei frawd, mi oedd y posteri yn edrych yn reit dda gan ei fod o wedi eu printio nhw mewn lliw ac wedi rhoi llun o gytiau enwog y pentra yn gefndir amryliw. Yr un poster oedd yn cael ei ddefnyddio ar Facebook, Twitter ac Instagram. O ganlyniad, mi oedd y gwaith wedi ei rannu gan nifer yn y pentra, o'r cyngor cymuned i gyfeillion y capel. Postiodd un trwy ddrws yr Orsaf Heddlu a sgwennu nodyn ar y gwaelod, 'noson o ddiddordeb mawr i'r heddlu'. Anelu am y Mans wnaeth Callum wedyn, gan nad oedd o wedi cael caniatâd swyddogol eto i gynnal y noson.

Ymhen hir a hwyr, â Phorth Milgi y tu ôl iddo, mi roddodd ei boster olaf i fyny ar y polyn lamp agosaf at y Mans cyn troi i'r chwith ac anelu am y tŷ. Y tro dwytha iddo fod yma, cuddio a gwneud yn siŵr nad oedd neb yn ei weld oedd y peth pwysicaf. Heddiw, mi oedd o'n cerdded i lawr y dreif fel ceiliog dandi yn *gobeithio* y byddai pobol yn ei weld. Dyma fyddai ei weithred olaf cyn iddyn nhw gyflwyno'r noson ffilm. Erbyn hyn, mi oedd gweddill y criw yn glir o ran be oedd yn mynd i ddigwydd ac felly dyma'r darn olaf, pwysicaf, yn y jig-so.

Cnociodd Callum yn galed ar ddrws y Mans, cyn anadlu'n ddwfn a cheisio cael trefn ar yr holl bethau yr oedd o angen eu dweud. Dim ateb. Cnocio eto a'r tro yma mi agorodd y drws yn ofnadwy o gyflym. Yr ochor arall, Parry Pregethwr, ei dad, yn edrych fel drychiolaeth a'i slaban o dalcen yn fur socian o chwys. Gwenodd Callum.

'Bob dim yn iawn?' oedd ei gwestiwn.

'Ydi, nacdi… Be tisho?'

'O, dim byd mawr, 'di dod â'r poster yma i ddangos, ar ôl bob dim sy'n mynd ymlaen – meddwl tynnu sylw at y pethau da am Borth Milgi yn y Gad oeddan ni, mewn noson ffilm.' Bachodd Parry y poster o'i law i edrych arno, 'Gobeithio fod hynny'n iawn, dad?' Er ei fod o'n agos iawn at gyfogi wrth ddweud y gair olaf, doedd dim ots am ei deimladau ei hun, gadael y gath allan o'r cwd ar stepen drws castell y crinc yma oedd yr unig beth pwysig. Rhoi ei ben allan ymhellach trwy'r drws i wneud yn siŵr fod Callum ar ei ben ei hun wnaeth John Parry.

'Yli, well i chdi ddod i mewn.' Gafaelodd ei bawen sylweddol yn ysgwydd ei hogyn, ei dynnu i mewn i'r tŷ a'i ruthro i mewn i'r parlwr.

Brasgamu am ei ddesg ym mhen draw yr ystafell wnaeth Parry, heibio i Callum, er mwyn cau drws y cwpwrdd metel gwag oedd o dan y ddesg efo'i droed. Y cwpwrdd oedd yn dal yr holl dapiau.

'Bob dim yn iawn? Dach chi'n edrych fel tasa chi 'di colli rwbath.' Mi oedd Callum yn mwynhau ei hun erbyn hyn.

'Ia, do, rwbath fel'na – ma 'na rywun wedi bod yn dwyn,' meddai Parry yn nyrfus. Er ei fod o wedi stopio chwysu, neu o leia wedi llnau'i dalcen efo'i hances, mi oedd o'n dal ar binnau yn ei barlwr ei hun. Wrth edrych o'i gwmpas, mi oedd y parlwr yn edrych yn wahanol yng ngolau dydd, yn edrych yn fwy rhywsut. Ai fan hyn oedd yr ystafel dywyll oedd yn y fideos? Er nad oedd modd dweud hynny naill ffordd neu'r llall, mi oedd y syniad yn ddigon i roi ias i lawr cefn Callum. Twtio'r cypyrddau o dan y cabinet gwydr mawr oedd Parry erbyn hyn, bron nad oedd yn anwybyddu Callum yn ei banig.

'Dyna pam dwi yma, i gyfadda. Fi nath ddwyn.' Rhewodd Parry yn y fan a'r lle wrth i frawddeg hyderus ei fab ei lorio. Trodd i edrych arno a'i lygaid yn gymysgedd o ofn a chynddaredd. Martshiodd ar draws y llawr pren a gafael fel feis am freichiau Callum, ac er ei fod yn ei frifo, doedd y mab ddim am gyfadda hynny. Mi oedd hwn wedi'i gornelu'n berffaith, meddyliodd.

'Be ti'n feddwl, lle maen nhw?' Poerodd Parry y cwestiwn i'w wyneb, fodfedd o flaen ei drwyn.

'Lle ma be? Y cash? Dwi 'di gwario'r cash i gyd, sori!'

Disgynnodd y dryswch dros wyneb Parry fel y niwl o'r môr sydd yn gafael yn dynn ar fynydd Graig Ddu yn ddirybudd. Llaciodd ei afael a chamu'n ôl er mwyn rhoi cyfle i Callum siarad, rhag iddo fo roi'i droed yn rhywbeth nad oedd yn bodoli.

'Dwi'm yn siŵr pam nes i dorri i mewn i capal, deud y gwir. Wel, yndw, mi ydw i. Doedd o ddim byd mwy na gweld y bysa chydig o bunnoedd yn handi. Felly, nes i dorri i mewn i neud yn siŵr fod 'na bres cinio i Carl a fi am yr wsos. Dwi'n gwbod bo fi 'di gneud yn rong a dyna'r rheswm arall pam dwi yma heddiw. Ar ôl cal gwbod na chi ydi dad, nes i feddwl y bysa fo'n gyfla i ni ddechra wbath newydd.'

Chwaraeodd Callum y rhan yn berffaith. Y mab coll, ar lwybr i uffern yn ymbil ar ei dad i'w lusgo yn ôl ar y llwybr cywir. Gwenodd Parry, wrth i'w baranoia adael yr ystafell am y tro.

'Da iawn chdi washi, dwi'n falch iawn bo chdi wedi gwneud y cam cynta yma,' eisteddodd Parry yn ei gadair freichiau o flaen y teledu a phwyntio at ei soffa i annog Callum i wneud yr un peth. 'Stedda, i ni gael siarad am hyn yn iawn. Ti wedi gwneud peth pwysig iawn yn dod yma, ti wedi profi bo chdi am newid ac yn bwysiach fyth, bo chdi'n *gallu* newid. Be wna i rŵan ydi rhoi pres y casgliad yn ôl. Mi wna'i esbonio i'r aelodau mod i wedi gwneud llanast ar yr acownts, fydd dim rhaid i chdi boeni am hynny o gwbl. Dwi'n falch iawn bod yr holl beth wedi dy berswadio di i drefnu'r noson ffilm yma heno hefyd. Arwydd pellach, arwydd clir a phendant dy fod ti am droi'r gongl.'

'Chwilio am y casgliad oeddach chi gynna, felly?' oedd ei gwestiwn nesa. Diflannodd y wên hunanfoddhaus o wyneb y pregethwr yn syth, wrth iddo gael ei atgoffa ei fod mewn picil llawer iawn mwy, er nad oedd o ddim callach fod Callum yn gwybod yn iawn be oedd ar goll.

'Ia, dyna chdi, ond dwi 'di cael yr ateb rŵan, diolch ti.' Fel saeth, mi gododd Parry o'i gadair, yn gwybod bod yn rhaid iddo feddwl yn ofalus am y sefyllfa oedd yn ei wynebu. Mi gododd Callum ar hynny gan ddechrau cerdded at ddrws y parlwr.

'Ydi hi'n iawn i fi alw chi'n dad yn fa'ma, yndi? Gwbod bo chi wedi sôn am lythyr twrna yn tŷ ni, a gwbod bo gynnoch chi enw da i gadw yn pentra a ballu – ond iawn yn fan hyn, ma siŵr dydan?' doedd o ddim am ildio modfedd i'r sglyfath ac mi gafodd fwynhad unwaith eto wrth weld y panig ar wyneb mab Duw.

'Wel, ia, na, hynny ydi... dim am rŵan ella? Un cam ar y tro. Os fyddi di'n dod yn ôl yma a dim ond chdi a fi yma, mi gei di os ti isho. Ond fiw i chdi yn y pentra, neu mi ga'i wbod a mi wna i wadu bob dim a fedrwch chi ddim fforddio mynd i cwrt a ballu.' Cerddodd Parry tuag ato. 'Dim bod ots gen i cofia... meddwl am dy fam ydw i. Ti'n gwbod fel ma pobol y pentra 'ma, ddim am iddi gael enw iddi hi'i hun ydw i, ti'n dallt dwyt?' Bron nad oedd o'n ymbilio ar Callum erbyn hyn.

'Yndw, dim problem o gwbl, dallt yn iawn siŵr. Wela'i chi heno am saith,' atebodd yn hyderus a cherdded allan o'r parlwr, trwy'r drws ffrynt gan ei gau ar ei ôl.

Wrth gerdded i lawr y lôn fach o'r Mans, mi oedd ei ben yn troi. Ar un lefel, mi oedd o newydd chwalu rhan o'r wal fawr drwchus oedd gan ei dad o'i amgylch ei hun ers degawdau. Pob dim yr oedd o wedi ei greu a'i adeiladu, mi oedd Callum wedi gallu tynnu chydig o'r cerrig yna i lawr yn ystod eu sgwrs ac mi oedd hynny yn ei wneud yn hapus. Blin oedd y teimlad arall. Blin bod y fath sglyfath wedi gwneud yr holl bethau afiach o dan drwynau pawb. Blin bod yr anifail yna'n dad iddo fo a blin ei fod yn dal â'i draed yn rhydd tra fod y byd yn meddwl bod Moi Saim yn rhywbeth nad oedd o'n agos at fod. Wrth i'r holl deimladau yma ei dynnu a'i rwygo a chwyrlïo o amgylch ei ben ar ei daith yn ôl i Borth Milgi ar droed, mi oedd Callum yn benderfynol o wneud sioe iawn o bethau heno. Heno, mi fyddai yna ddigwyddiad fyddai'n chwalu muriau'r Mans a'r pregethwr am byth.

Ffilm

DAN EI SANG. Gair da, sang. Be ma'n feddwl? Dyna oedd yn mynd trwy ben Callum wrth iddo edrych dros ei ysgwydd o'r sêt fawr ar yr holl bobol oedd yn llenwi seddi pren caled Capel y Gad. Doedd dim dwywaith bod y neges wedi cyrraedd y rhan fwya yn y pentra un ai trwy'r posteri, y cyfryngau cymdeithasol neu wrth i un sôn wrth y llall. Yn amlwg, mi oedd yna awch gan bawb i fod yno – pawb am gael cyfle i weld ei gilydd a sgwrsio am y digwyddiadau sobor diweddar yn y gobaith y gallen nhw godi calonnau ei gilydd. Dyn a ŵyr pryd oedd y tro dwytha i'r seddi deimlo cymaint o benolau. Mi oedd ei fam a Carl hyd yn oed wedi eu perswadio i fod yno. Doedd o ddim wedi disgwyl gweld cymaint o gynulleidfa. Mi oedd pobol yn amlwg yn chwilio am esgus i ddod ynghyd, a gafael yn dynn yn y syniad bod yna'r fath beth â chymuned ar ôl ym Mhorth Milgi. Oedd hynny yn mynd i'w berswadio i newid ei feddwl? Oedd o am barhau i wneud hyn? Oedd o wir am greu digwyddiad fyddai'n chwalu'r pentra am byth? Oedd.

O flaen y pulpud mi oedd yna sgrin wen fawr. Rhyw hen sgrin projector oedd wedi bod yn sied Jac-Do ers blynyddoedd, a dyma'r union beth yr oeddan nhw ei angen. Wrth ochor ysgwydd chwith Callum oedd y peiriant fyddai'n taflu'r fideo ar y sgrin i bawb ei gweld. Trodd ei ben i'r dde a gwenu ar Jac-Do a Babo. Mi oedd y ddau y tu ôl i ryw ddesg fechan fyddai'n rheoli'r sain a'r fideo. Ers iddyn nhw gyfarfod ddwytha, mi oedd y ddau wedi bod yn cael trefn ar bopeth. Jac-Do yn llwyddo i gael hen brojector lluniau i ddarllen cerdyn HD, Babo wedi bod yn ffilmio a chael lluniau anhygoel o neis o Borth Milgi – gan gynnwys lluniau o'r awyr diolch i ddrôn Elfed Saer. O'r ddesg, mi fyddai'r ddau yn rheoli'r tri gwe-gamera yr oedd Babo wedi eu tynnu o'i lofft. Y tri bellach wedi eu gosod o amgylch y sêt fawr – dau bob ochr a'r llall yn y canol. Yr un yn y canol fyddai'n darlledu lluniau byw ar Facebook o'r gwasanaeth, yr un ar y chwith yn darlledu'r holl beth yn fyw trwy Periscope ar Twitter a'r olaf un yn darlledu popeth ar dudalen YouTube babo401 yn fyw.

Mi drodd Callum ei ben i edrych yn ei flaen eto, cyn edrych ar ei esgidiau. Doedd o ddim yn siŵr be i wisgo, oedd angen crys a tei? Oedd angen dillad smart? Nagoedd – tracsiwt lwyd a hen dreinars du oedd o wedi eu dewis a hynny'n fwriadol.

Dyma'r eiliadau olaf cyn i bethau ddechrau yn capel. Fel mewn pob digwyddiad o'i fath lle mae yna gasgliad o bobol, mi oedd yna ryw hen sibrwd uchel rhwng pawb er nad oedd dim swyddogol wedi cweit dechrau. Wrth wrando ar y degau o leisiau y tu ôl iddo'n sibrwd, faint o bobol oedd yn deall Eidaleg fan hyn oedd y cwestiwn nesaf ddaeth i mewn i'w ben? Tri munud, pedwar deg a dau o eiliadau oedd hyd y gân 'Romanza' gan Andrea Bocelli yr oedd Saim Bach wedi'i dewis. Felly, mi oedd yr holl fideo wedi gorfod ffitio i mewn i hynny o amser. Rŵan, er mawr syndod i bawb arall, mi oedd y gân yn gweithio'n berffaith i'r hyn yr oeddan nhw am ei greu. Distawrwydd, tynerwch, drama a chwip o uchafbwynt.

Mi oedd ffarmwr bach y Nant wedi cyflwyno perlan o syniad. Tu allan, yn sedd ei dractor New Holland oedd Saim Bach, yn aros yn eiddgar ac yn barod i wylio'r holl beth yn fyw ar ei ffôn.

Doedd dim troi'n ôl bellach, mi oeddan nhw wedi ymarfer yr holl wasanaeth, pawb yn gwybod ei ran yn berffaith ar gyfer y tri munud pedwar deg dau eiliad fyddai'n llorio Porth Milgi am flynyddoedd i ddod. Lle mae o yr eiliad yma? Dyna oedd y cwestiwn nesa i Callum ofyn yn ei ben. Doedd o ddim wedi gweld na chlywed dim gan Moi Saim, yn naturiol, ac yn amlwg doedd gan hwnnw ddim syniad o'i gell fod ganddyn nhw y fath dystiolaeth i'w rhannu â'r byd. Heb os, mi oedd y tri munud pedwar deg dau eiliad yn golygu y byddai Moi Saim yn cael ei ryddhau ond doedd Callum ddim yn siŵr sut y byddai'n ymateb i'r hyn oedd ar fin digwydd. Fyddai o'n falch? Hapus? Blin? Neu chydig bach o bob un. A fyddai'n well gan Moi Saim weld yr holl dystiolaeth yn cael ei chyflwyno i'r heddlu a dyna ni? Dim ots bellach oherwydd ar yr eiliad yna mi gafodd ei dynnu o'r meddyliau yn ei ben gan gysgod yn mynd â'i sylw ar y chwith iddo.

Buan iawn y distawodd y capel wrth i Parry Pregethwr gamu ymlaen i'r sêt fawr. O'i wyneb, mi oedd hi'n amlwg ei fod o wedi dychryn o weld y capel yn llawn. Mi edrychodd i'r chwith a rhoi edrychiad i Callum i ddangos nad oedd o'n hapus iawn efo'r hyn oedd o'n ei wisgo, cyn iddo godi ei ben ac edrych ar drigolion Porth Milgi o'i flaen.

'Gyfeillion,' a'i ddwy law allan yn awdurdodol, brenin ar ei deyrnas, 'does dim dwywaith bod y dyddiau dwytha wedi'n hysgwyd ni i gyd. Popeth yn creu ansicrwydd ac anobaith mewn cymuned sydd fel arfer mor agos a chyfeillgar.' Edrychodd Callum i'r dde a rowlio ei lygaid ar Jac-Do a Babo wrth i'r ddau ohonyn nhw ysgwyd eu pennau i geisio mynegi pa mor flin oeddan nhw.

'Be sy'n braf felly ydi gallu croesawu a gweld cymaint ohonoch chi yma. Pan ddaeth y criw ifanc yma ata'i a dweud eu bod nhw am greu noson ffilm i ddod â phawb ynghyd – fy mraint oedd cytuno'n syth. Felly, heb oedi yn rhagor, dwi'n edrych ymlaen rŵan i Callum Jones sefyll ar ei draed ac arwain y ffordd.' Trodd Parry a rhoi ei law allan i annog Callum i sefyll. Un anadl ddofn arall, yr un olaf cyn iddo gladdu ei dad a rhyddhau Moi Saim. Mi gododd efo'i bapur yn ei ddwylo i wynebu'r gynulleidfa o'i flaen.

'Diolch,' tagodd yn ysgafn wrth geisio cael hyd i'w lais. Mi oedd y gynulleidfa yn edrych hyd yn oed yn fwy na'r oeddan nhw pan oedd o'n edrych dros ei ysgwydd arnyn nhw.

'Dwi ddim yn dda iawn efo petha felma fel arfar, felly dydi hyn ddim yn hawdd, ond dwi meddwl newch chi weld yn munud pam bod o'n bwysig bod yr hogia a finna'n gwneud hyn.' Mi gododd ei ben i edrych o'i gwmpas, mi ddaliodd lygaid ei fam wrth i honno wenu'r wên anwylaf erioed ar ei mab.

'Doeddan ni ddim yn nabod Branwen,' a dyna pryd y meddyliodd a oedd ei mam yno, ond o sbio'n gyflym doedd dim golwg o Kathleen Williams ac mi oedd o'n falch o hynny. 'Ond mi odd hi tua'r un oed â ni. Does yr un ohonan ni yn gallu meddwl am golli ffrind, a rhywun odd yn mynd i'r ysgol ac yn byw a bod yma, fel ydan ni heddiw, heb deimlo yn drist a'n flin iawn bod rhywun wedi gallu gwneud rhywbeth mor ofnadwy. Er bod bron i ddau ddeg mlynedd wedi pasio, dydi'r newyddion ddim wedi bod dim haws i'w lyncu. Mae yna lawer o bethau tywyll, anodd ac annifyr wedi dod i'r wyneb am Porth Milgi dros y dyddiau dwytha a dan ni am

atgoffa chi yma heddiw, a pawb sy'n gwylio dros y we fyd-eang bod yna fwy i Borth Milgi na ma rhywun yn feddwl...
Felly, eisteddwch yn ôl a chofiwch rhai o'r pethau pwysicaf i ni erioed ddysgu fan hyn tra byddwch yn gwylio'r fideo – pethau fel câr dy gymydog a gadewch i blant bychain ddyfod ata i.'

PWYSO PLAY RŴAN oedd y geiriau ar y papur o flaen Jac-Do a Babo, yn union fel yr oeddan nhw wedi ei ymarfer, a dyna wnaethon nhw. Y tu ôl i Callum, mi daniodd y sgrin wen i ddangos y lluniau o ddrôn Elfed Saer, wrth i'r camera hedfan dros fynydd Graig Ddu, cyn gostwng ar drwyn y graig i ddangos y traeth yn ei holl ogoniant. Ac mi ddechreuodd Andrea Bocelli:

Già la sento
Già la sento morir
Però e calma sembra voglia dormir

Lluniau o'r traeth ar noson o leuad llawn, y dŵr yn llonydd braf.

Poi con gli occhi
Lei mi viene a cercar
Poi si toglie

Yna, i dorri ar y traeth, y drôn yn codi o ganol coedwig Bodlondeb i ddangos holl ogoniant yr aceri yn eu gwisg goch, copr a melyn hydrefol.

Anche l'ultimo velo
Anche l'ultimo cielo
Anche l'ultimo bacio

Y camera yn dal i ddringo yn uwch ac yn uwch uwchlaw Bodlondeb i ddangos Porth Milgi i gyd – o'r wlad i'r traeth.

Ah, forse colpa mia
Ah, forse colpa tua
E così son rimasto a pensare

Nesa, a'r shot wedi ei harafu, archif o'r traeth ar ddiwrnod o haf – teuluoedd yn chwarae ac yn cael hwyl, cychod ar y dŵr a'r haul yn disgleirio oddi ar y cytiau amryliw.

Ma la vita
Ma la vita cos'è
Tutto o niente
Forse neanche un perché

Erbyn hyn, mi oedd yr emosiwn i'w deimlo trwy'r dorf, pob un wedi eu swyno gan ogoniant eu milltir sgwar, wrth iddyn nhw gael eu tywys gan eiriau Bocelli.

Con le mani
Lei me viene a cercar
Poi mi stringe
Lentamente mi lascia
Lentamente mi stringe
Lentamente mi cerca

Doedd Saim Bach ddim wedi gweld yr un eiliad o'r fideo, mi oedd o'n eistedd y tu allan yn ei dractor a'i lygaid wedi cau yn morio ei hochor hi efo'r geiriau yr oedd o'n glywed yn ei ben – geiriau nad oedd yn agos at fod yn gywir.

Ah, forse colpa mia
Ah, forse colpa tua
E così sono rimasto a guardar

Erbyn hyn, roedd pawb wedi eu cyfareddu yn y capel, ambell un yn clapio, y sŵn o *speakers* Jac-Do a Babo yn chwyddo'r profiad i'r eithaf. Tynnodd Colin Williams ambell lun o'r seddi gorlawn, lluniau fyddai'n mynd ar flaen *Yr Herald* siŵr o fod. Pwyso reit ymlaen yn ei sedd galed oedd DI Ashurst, yn edrych ar y sgrin gan chwilio am unrhyw arwydd bach i weld allai hi ddyfalu pwy yno oedd wedi postio gwahoddiad personol iddi. Ac mi newidiodd cywair y gân.

E lo chiamano amor
E lo chiamano amor
E lo chiamano amore
È una spina nel cuore
Che non fa dolore

Mi oedd y lluniau neis neis wedi mynd, ac yn y gwaith adeiladu cerddorol yna, mi oedd yr hen lun o Branwen Williams wedi ymddangos, llun o'r tirlithriad, llun o'r plismyn yn bob man – ac yna mi oedd y gân yn cyrraedd ei huchafbwynt operatig.

È un deserto
Questa gente
Con la sabbia
In fondo al cuore
E tu
Che non mi...

Dyna pryd y fflachiodd wyneb Branwen Williams o flaen y lens ar y sgrin, a'r eiliad nesaf daeth wyneb amlwg Parry Pregethwr. Wynebau Parry a Branwen wedi eu rhewi, yr eiliad honno i'r byd eu gweld. O'i ddesg reoli gadawodd Babo i'r lluniau o gyfrifon banc Parry lenwi'r ffrâm o gwmpas wynebau'r ddau tra roedd Bocelli'n dal i daranu.

Yn y capel, doedd neb cweit yn siŵr be'n union yr oeddan nhw'n ei wylio, ond mi ddisgynnodd y geiniog yn yr eiliadau nesaf wrth i Parry Pregethwr godi ac edrych o'i gwmpas. Ar yr union eiliad honno, mi welodd Callum yr edrychiad yr oedd o wedi ei weld sawl tro. Anifail wedi'i gornelu. Yr ofn a'r dryswch yn fflachio yn y llygaid, yr edrych o gwmpas yn wyllt i gael ffordd allan. Bron na allai Callum glywed calon ei dad yn colbio y tu mewn i'w frest. Hwn oedd y trap gorau yr oedd o erioed wedi'i osod ac mi oedd o'n flin iawn nad oedd Moi Saim yno i weld.

Rhuthrodd dau neu dri i lawr am y sêt fawr. Edrychodd Parry yn ddryslyd ar Callum cyn camu heibio a'i wthio ar lawr. Sgrialodd Parry am y drws oedd i'r dde ohono, ac er i Jac-Do a Babo geisio ei atal, doedd fawr o bwrpas gan fod y dyn mawr wedi codi stêm. Stryffagliodd Callum yn ôl ar ei draed ac mi ddaliodd lygaid ei fam yn y dorf am eiliad. Tra roedd pawb arall ar eu traed, doedd Doreen ddim wedi symud modfedd. Ar ei hwyneb, rhyw wacter grafodd ar galon Callum yn syth. Er nad oedd hi erioed wedi bod yn yr ystafell ddirgel, wedi manteisio ar Doreen oedd Parry hefyd – ond dim ond rŵan y gwelodd hi nad oedd hi ar ei phen hun. Y basdad yma oedd tad ei phlant.

Gan fod ei gar wedi ei barcio reit o flaen y drws, mi oedd Parry i mewn ynddo yn ddiogel ac wedi'i gloi erbyn i lond llaw o rai eraill ddod allan a dechrau cnocio, cicio, dyrnu a cheisio torri i mewn i'w lusgo allan. Yn union fel cwningen, rhoi ei droed i lawr i gael ffoi wnaeth Parry ac mi hyrddiodd ei gar ymlaen gan daflu pawb o'r ffordd. Arafodd fymryn ar y gyffordd i'r ffordd fawr ac fel yr oedd o'n troi'r llyw i'r dde i gyfeiriad y dre – clec.

Cododd y car oddi ar y ddaear, wrth i fforch flaen tractor New Holland Saim Bach godi Parry a'i gar i'r entrychion. Llithrodd y car i lawr i ben blaen fforc palet y tractor fel nad oedd o hyd yn oed yn gallu agor y drws i geisio dianc. Ar yr eiliad honno, mi ddaeth Yvonne Ashurst i'w arestio ar ôl gwthio trwy'r dorf ac mi gyrhaeddodd Colin Williams i dynnu llun fyddai'n cael ei werthu i bapurau mwya Prydain.

42

Cadeirydd

WRTHI'N PINCIO o flaen y drych oedd y Cadeirydd, yn paratoi
at ddiwrnod arall yn y swydd oedd wedi cynnig cymaint o
gyfleoedd – swydd yr oedd yn dal yn ei charu, dyna oedd y
peth pwysicaf i'w gofio. Oedd, mi oedd Parry yn y ddalfa ond
doedd o ddim am siarad. Roedd o wedi gwrthod cydweithio
efo'r heddlu ac wedi gwrthod cymorth cyfreithiol hyd yn oed.
Twrna ceiniog a dima oedd yn ei gynrychioli a'i ble o ddieuog
oedd yr unig beth o werth oedd o wedi ei ddweud. Yr unig un
oedd wedi ei gysylltu efo Parry oedd Cen Cem. Doedd dim
am ddod nôl at y Cadeirydd. Petai Parry yn dechrau honni
fod ganddo enw'r un oedd yn trefnu'r cyfan, pwy fyddai'n ei
gredu? Doedd ganddo ddim gronyn o dystiolaeth i wneud y
cysylltiad. Mi fyddai'n swnio fel dyn chwerw yn taflu baw
– baw na fyddai'n glynu. Gafael yn dynn iawn yn hunan-barch
ei ddistawrwydd oedd yr unig beth ar ôl ganddo. Byddai, mi
fyddai yna achos llys. Mi fyddai'r dystiolaeth yn mynd o flaen
deuddeg ar reithgor ond doedd dim yn glanio wrth draed neb
oni bai am Parry. Gwenodd y Cadeirydd ar ôl gorffen rhoi'r
lipstic.

Petai'r Cadeirydd wedi ei arestio, mi fyddai yna seicolegwyr
criminoleg yn cael modd i fyw. Mynd ati i chwilio am dyllau,
mynd ati i chwilio am resymeg – pawb yn ceisio cael yr ateb

i 'pam?' Pam mynd ati i fanteisio ar ferched ifanc? Pam mynd ati i drefnu fod dynion budur yn cael eu ffordd? Pam bradychu rhai oedd yn ymddiried cymaint? Be oedd y pleser yn hynny? O le ddaeth y syched i greu tor calon? Oedd yna ddigwyddiad adawodd graith a bwlch du? Oedd yna le i geisio gwneud synnwyr o'r fath ffieidd-dra? Nac oedd yn syml iawn. A siŵr o fod, mi fyddai'r atebion diflas yn achosi *mwy* yn hytrach na llai o benbleth i seicolegwyr.

Magwraeth sefydlog, mam a thad cefnog a chefnogol oedd cefndir y Cadeirydd. Gwyliau i'r cyfandir bob blwyddyn, car newydd yn ddwy ar bymtheg, digon o ffrindiau, poblogaidd gyda gallu ym mhob maes – o ffiseg i ymarfer corff. Hedfanodd trwy'r Brifysgol a chael y graddau gorau posib i fynd i ddysgu. Hawdd. A dyna'r un gair fyddai'n agor y drws i seicolegwyr. Hawdd.

Roedd popeth wedi digwydd yn rhy hawdd, yn rhy hawdd o lawer. Doedd dim risg wedi bod, dim perygl. Pob bocs wedi ei dicio a phob dim mor ddiflas ag y gallai rhywun ddychmygu – hyd nes y cafodd swydd yn dysgu yn syth wedi graddio.

Yn Ysgol Cae Garw oedd y swydd ac mi gymerodd y prifathro ar y pryd ddiddordeb personol mawr yn helpu'r aelod diweddara o'i staff dysgu. O hynny, mi arweiniodd un peth at y llall. Yn ddi-briod ac yn athletaidd, roedd yna ryw swyn o amgylch y prifathro. Er bod yna fwlch mawr rhyngddyn nhw o ran oedran, mi dyfodd y berthynas yn gyflym iawn rhwng y ddau. Buan y daeth y Cadeirydd i ddeall bod yna fwy nag un diddordeb carwriaethol yn ei fywyd ac mi oedd hynny'n dân ar groen. Gwybod bod yna fwy, bod yna rai pwysicach? Doedd hynny ddim yn ddigon da – mi oedd rhaid meddwl am ffyrdd i blesio. I rywun oedd wedi cael popeth ar amrantiad, pam fod hwn yn edrych tu hwnt i be oedd ar gael?

Buan y daeth hi'r amlwg mai diddordeb mewn merched ifanc oedd yn mynd â'i sylw pellach. Doedd o ddim ar ei ben ei hun. Mi oedd yna griw ohonyn nhw yn dod ynghyd os oedd cyfle i fanteisio. Trefnu merched i ddawnsio neu berfformio'n breifat oedd y gofynion ar y dechrau. Yn syth, mi welodd y Cadeirydd bod yna gyfle i helpu, i blesio. Petai modd trefnu a chael genod gwahanol yna mi fyddai'n rhan o'i gylch pwysig. Pa ddrwg oedd yna mewn ychydig o ddawnsio? Yn araf bach, mi dyfodd rhan y Cadeirydd yn y trefnu ac mi sylweddolodd ei bod hi'n cael pleser pur o'r grym a'r cynllunio. Ar ôl dilyn y rheolau a chael pob dim yn hawdd, dyma'r her berffaith, rhywbeth gwirioneddol anodd. Plesio'r prifathro dylanwadol trwy ddefnyddio sefyllfa i fyw yn beryg am unwaith. Ond mi ddaeth hwnnw i sylweddoli bod ei brwdfrydedd hi i drefnu'r gweithgareddau yn cynyddu. Ymunodd un neu ddau â'r cylch cyfrin oedd am weld pethau yn mynd ymhellach, mi oeddan nhw am gael mwy o wasanaeth gan y merched. Pan symudodd y prifathro i Loegr i weithio, y Cadeirydd oedd bellach wrth y llyw yn llwyr ac mi oedd hi'n ffynnu ar yr her o dwyllo merched i wneud be bynnag oedd ei angen.

Mae gan bawb ei wendid, a doedd hi ddim yn anodd gweld gwendid yr un ferch ysgol ifanc. Oedd, mi oedd hi'n amlwg na fyddai modd troi pen pob un. Ond o sgwrsio o ddydd i ddydd a gweld be oedd yn mynd ymlaen yn eu bywydau, mi oedd targedu yn hawdd. Yn amlach na pheidio, tlodi oedd y ffactor mwyaf. Felly dyna'r man cychwyn – gweld pwy oedd y merched rheini. Wedyn daeth y drefn o ddefnyddio'r loceri. Trwy adael amlenni neu ambell rodd, buan y byddan nhw'n cael eu swyno. Arwain yn araf bach, hudo a bachu, cyn rhoi'r nodyn am gyfarfod a mynd i'r tacsi. Ar ôl wythnosau o feddwl bod yna dywysog cyfoethog ar gefn ceffyl wedi cymryd ffansi atyn nhw, byddai bron pob un yn mynd i mewn i'r tacsi. A byddai'r gyrrwr hwnnw o Lerpwl yn derbyn y gwaith bob hyn a hyn o wythnosau, yn ôl y galw. Cynigiai alcohol iddyn nhw yn y car a'r ddiod yn cynnwys digon o gyffur i lacio'u synhwyrau. Byddai'n gyrru wedyn i gyfeiriad Porth Milgi iddyn nhw gael darganfod nad oedd yna dywysog o gwbl. Roedd hi'n system broffidiol. Wrth gwrs bod yna sibrydion yn lleol – merched a rhieni yn siarad ymysg ei gilydd. Un yn dweud bod yr union yr un peth wedi digwydd iddyn nhw. Un arall yn dweud bod merch arall eisoes wedi bod at yr heddlu ond bod neb yn ei helpu. Y cylch yma o sibrydion a hanner straeon nad oedd neb mewn awdurdod yn eu credu nac yn talu digon o sylw iddyn nhw. Y gwir ydi, doedd y merched hyn na'u teuluoedd ddim yn ddigon pwysig i neb gymryd sylw ohonyn nhw. Mi gafodd diflaniad Branwen Williams ar ei ben ei hun fwy o sylw nag a gafodd yr holl ferched eraill efo'i gilydd, am y rheswm syml ei bod o deulu 'pwysicach'.

Wrth gario mlaen i ymbincio o flaen y drych, mi oedd y Cadeirydd yn cofio'n iawn mai ei hyder oedd gwendid Branwen Williams. Yr hyder i feddwl fod ganddi bob dim – arian, cefnogaeth deuluol a phoblogrwydd. Doedd y Cadeirydd a Branwen ddim yn annhebyg yn hynny o beth. Rhoddion drud oedd yn cael eu rhoi yn locer Branwen. Doedd dim pwynt o gwbl rhoi arian – mi oedd gan deulu Hen Felin ddigon o hwnnw. Ond trwy wneud iddi deimlo'n arbennig a thrwy adael anrhegion gwerth eu cael, bron nad oedd ei bachu yn rhy hawdd. Wrth gwrs bod yna rywun yn ei ffansïo. Pwy fyddai ddim? Doedd Branwen ei hun ddim yn gweld dim bai arnyn nhw. A'r hyder hwnnw wnaeth olygu ei bod hithau wedi mynd i mewn i'r tacsi y noson honno, ar ôl mynd i mewn i'r dre i'w ddal, ond doedd ganddi ddim syniad y byddai'n dod yn ôl am Borth Milgi. Dyna'r tro cyntaf a'r tro olaf iddi fynd i mewn i'r stafell. Chwalodd ei bywyd cysurus, hyderus mewn mater o funudau. Yn wahanol i'r merched mwy bregus, doedd ganddi hi ddim ofn gafael yn Parry a'i dynnu i'r goleuni. A dyna'i diwedd. Nid bai y Cadeirydd oedd hynny.

Hen dro. Ond oherwydd gwaith cartref a pharatoi ar gyfer digwyddiadau a allai fynd o chwith, mi oedd y Cadeirydd wedi sicrhau gwasanaeth Iolo plismon. Sugno dyn diniwed arall i fyd oedd wedi ei greu gan Gadeirydd oedd wir yn mwynhau y rôl erbyn hyn. Wedi i hwnnw wneud ei waith y noson honno yn 2003, roedd modd i'r cylch cyfrin barhau wedi i ryw chwe mis o holi am ddiflaniad Branwen arwain at ddim. Er bod y Cadeirydd yn derbyn â chalon drom bod rhaid i'r trefniant presennol ddod i ben, doedd dim gronyn o euogrwydd gan fod y cwbl wedi rhoi gwefr a pheryg i fywyd fyddai fel arall wedi bod yn ddi-nod.

Oedd, mi oedd yr arian gan aelodau'r cylch cyfrin yn braf i'w gael ond yn ddim o'i gymharu efo'r holl elfennau eraill oedd i'w cael o'r system. Estynnodd am y gadwyn a'r groes o'r ddesg goluro a'i rhoi am ei gwddw, cyn edrych ar yr adlewyrchiad yn y drych a gwenu'r un wên hyderus oedd wedi dallu cymaint ar hyd y blynyddoedd.

43

Sylweddoli

RHYW DIN-DROI YM mhrif gyntedd Ysgol Cae Garw oedd DI Yvonne Ashurst erbyn hyn. Ar ôl treulio'r bore yn gwneud yn siŵr fod y disgyblion a'r athrawon yn ei gweld, gyda'i bathodyn yn amlwg ar ei belt, ei gobaith oedd ei bod wedi lleddfu pryderon. Ar ôl Noson Ffilm Capel y Gad, mi oedd y byd a'i frawd wedi bod yn rhoi sylw i Borth Milgi. Fory, mi oedd y Prif Gwnstabl ei hun yn dod i'r ysgol i siarad efo'r disgyblion. Ond mi oedd yna resymau eraill pam oedd Yvonne Ashurst am fod yno.

Y mwyaf o'r rheini oedd Kelly Owen. Mi ddaeth hi yn ei blaen yn syth wedi i'r sefyllfa ffrwydro. Cragen ohoni'i hun oedd Kelly bellach ac mi oedd am wneud yn siŵr ei bod cystal ag y gallai fod ar y diwrnod cyntaf yn ôl yn yr ysgol. Oedd yna rywun arall yn cerdded y coridorau o'i chwmpas oedd â stori erchyll debyg? Ers i'r drysau agor y bore hwnnw, mi oedd y blismones wedi bod yn chwilio yn galed iawn am gliwiau ar wyneb unrhyw un o'r bobl ifanc. Allai Yvonne Ashurst ddim stopio'r euogrwydd oedd yn ei mygu o weld Kelly ag ofn ei chysgod ei hun, heb yr hyder i hyd yn oed godi ei phen o'i thraed.

Mi oedd y teimlad hwnnw yn cael ei fwydo gan ryw deimlad arall yn rhywle. Teimlad ei bod hi wedi methu rhywbeth. Er bod Parry yn y ddalfa, roedd rhywbeth yn dal heb fod cweit yn iawn. Yn gyntaf, mi oedd Iolo plismon wedi diflannu a neb wedi'i weld ers dyddiau. Y gadwyn a'r groes oedd y peth arall. I le aethon nhw? Ai Iolo oedd wedi mynd â nhw o'r sêff? Dyma rai o'r cwestiynau oedd yn mynd rownd a rownd yn ei phen ers dyddiau.

Yr unig le y gallai ddod yn ôl ato oedd yr ymweliad diwethaf â'r ysgol. Y diwrnod hwnnw yn ystafell y prifathro, pan nad oedd rhywbeth cweit yn iawn. Wrth gwrs, roedd hi'n gwybod erbyn hyn fod un o'r tri wedi lladd ei hun. Methodd rywbeth yn yr ystafell y diwrnod hwnnw. Ei gobaith heddiw oedd cael atebion. Mi oedd hi wedi crwydro'r coridorau ac wedi stopio i sgwrsio efo sawl un ond am y tro, doedd dim arall i'w wneud dim ond anelu yn ôl am y Mondeo.

***

Braf oedd gweld haul ar ddechrau mis Tachwedd. Y gobaith olaf un cyn i'r gaeaf gau yn flanced dywyll o gwmpas pawb. Doedd hi ddim yn gynnes ond mi oedd hi'n braf rhoi to y BMW 118 i lawr. Wrth afael yn dynn yn llyw y car, cyfri bendithion oedd y Cadeirydd. Er fod pethau wedi dod yn agos iawn ar brydiau, doedd y llanast ddim wedi gorlifo a chyrraedd drws yr un oedd yn trefnu. Cynnig gwasanaeth i ddynion oedd ei angen. Dyna unig rôl y Cadeirydd.

Wrth edrych yn y drych ynghanol windsgrin y car, mi oedd yr haul yn disgleirio oddi ar y gadwyn a'r groes fyddai wedi gallu dod â diwedd i bob dim. Pan gafodd y gadwyn ei phrynu i'w rhoi yn y locer flynyddoedd yn ôl, doedd dim dwywaith mai dyma oedd un o'r pethau harddaf i bres y criw ei brynu erioed. Am wddw rhywun oedd yr unig le i rywbeth mor dlws, nid fel rhan o ryw achos ych a fi. Ar ben hynny, mi oedd y fenter o gael y gadwyn yn ôl ynghanol ymchwiliad mor fawr, yn rhoi gwefr o berygl rhyfeddol. Nid bai y Cadeirydd oedd bod yna ferch wedi'i llofruddio ac un o aelodau'r criw wedi lladd ei hun. Doedd dim modd bod yn gyfrifol am weddill yr oedolion yn yr ystafell.

Parciodd y car a'i gloi a dechreuodd gerdded am yr ysgol. Mi deimlodd y Cadeirydd yr haul a chael rhyw wefr eto fyth o wybod fod y storm fawr wedi pasio. Cerddodd am brif fynedfa Ysgol Cae Garw a gwenu cyn dweud bore da wrth DI Yvonne Ashurst.

'Bore da,' meddai hithau yn ei hôl, heb dorri ei cherddediad gan feddwl unwaith eto pa mor rhyfeddol oedd hi nad oedd Louise Ellis wedi newid fawr ddim ers pan oedd hi'n ddisgybl yn yr ysgol. Wrth estyn goriadau'r Mondeo o'i phoced, meddyliodd mor urddasol oedd hi, heb flewyn o'i le a rhyw hyder tawel o'i chwmpas. Wrth feddwl am ddillad smart yr athrawes fel yr oedd hi'n tynnu handlen drws y car, mi anadlodd Yvonne Ashurst yn galed a llowcio'r ocsigen fel petai'n boddi wrth i'r ddelwedd yn ei hymennydd brosesu fel llun polaroid. Rhewodd yn y fan a'r lle. Y gadwyn. Y groes.

44

Rhyddid

Go BRIN FOD cymaint wedi'i ddweud rhwng dau heb i'r un gair gael ei yngan. Cydgerdded am wal bella Stad Bodlondeb, y wal agosaf at Aberddwybont, oedd Moi Saim a Callum. Bron nad oedd amseriad cerddediad y ddau drwy Stad Cae Gwyn, i fyny heibio'r Leion a thrwy Borth Milgi wedi'i amseru'n berffaith, y ddau yn cerdded i'r un bît nad oedd yn bod.

Dyma'r tro cyntaf iddyn nhw fynd i hela ers i Moi gael ei ryddhau. Y tro cyntaf ers i bob dim ddigwydd. Tenau iawn oedd y sgwrsio fyth ers hynny. Y gwir plaen oedd bod yna *ormod* i'w ddweud, a'r un o'r ddau yn gwybod yn iawn lle i ddechrau. Er mwyn cau briw oedd yn gwaedu ym Mhorth Milgi ers blynyddoedd mawr, mi oedd Callum a'i ffrindiau wedi gorfod tywallt llawer iawn o halen i'w grombil.

Erbyn hyn, mi oedd Moi ynghanol y broses gyfreithiol o gael iawndal gan yr heddlu am ei arestio ar gam a'i gadw heb chwarter y dystiolaeth oedd ei hangen i gyrraedd y trothwy. Yn ôl ei gyfreithiwr, mi fyddai'n arian sylweddol – arian nad oedd Moi am gadw ceiniog ohono. Teulu bach Doreen nymbyr ffaif fyddai'n cael y pres.

'Sud ma dy fam?' gofynnodd Moi yn ddirybudd fel oeddan nhw'n cyrraedd wal y plas.

'Gweddol dwi meddwl, o gofio bob dim. Dwi'n flin bo

fi wedi gweld bai arni hi, ond ma hi'n dallt. Ma hi'n uffar o ddynas gry, Moi, a dwi'n lwcus uffernol na hi ydi mam.'

Gwenodd Moi ar y tu mewn wrth wrando, cyn symud y ddwy garreg yng ngwaelod y wal oedd yn ddrws i mewn i'r rhan honno o'r stad ers blynyddoedd.

Ar eu cefnau, llusgodd y ddau eu cyrff i mewn i Stad Bodlondeb a dilyn y llwybr cyfarwydd ar ochr fewnol y wal. Dilyn yr olion oedd wedi eu naddu yn y tir a chamu dros wreiddiau'r canrifoedd oedd hi wedyn. Dim byd. Doedd dim yn y snêr gynta, ac mi deimlodd Moi rywbeth nad oedd o erioed wedi'i deimlo o'r blaen wrth weld hynny: rhyddhad. Brasgamu o'i flaen oedd Callum yn gwybod yn union lle'r oedd yr un nesaf ac mi allai Moi weld cyn iddo gyrraedd fod yna gwningen yn dawnsio'i dawns olaf. Fel yr oedd Callum yn barod i roi'r farwol, gwaeddodd Moi o'r tu ôl iddo.

'Paid!'

Gafaelodd yn yr anifail o law Callum a llacio'r weiren o amgylch ei droed. Efo'r un tynerwch ag y byddai mam yn ei ddangos wrth afael yn ei phlentyn am y tro cyntaf, rhoddodd Moi y gwningen i lawr a'i gadael yn rhydd. Gwyliodd y ddau hi'n sgrialu patrwm igam-ogam yng ngolau gwan y lloer rhwng y coed, cyn diflannu o'u golwg. Yn yr un golau hwnnw edrychodd y ddau ar ei gilydd yn gwybod, unwaith eto, nad oedd angen dweud dim.

'Tyd,' meddai Moi, 'bryna i beint i chdi'n Leion.'

Moi – Sacha Potsar
Moi – 1fen Fowr 60 oed . Dim yn hoff Peri

Callum 17 oed mab Doreen no 5 - " "
Blwyddyn 12 yn y ysgol
Parch Joh Parry . Pregethwr

Babo ffrind gorau Callum . Gallwyg, ond dim wedi
dod csfrozett Gwethu ffab bant judro

Joe Do taltenaw – Cegoc, Hyderus.

Saim Bach – Alwyn . tawel, puylog . Moi Sam oedd d cla

Cen Cen – athro
Louis Elfi . Diripsay
Bennault
attro do – Deeniadol

Carl . brawd Callum
Kelly mech, ffrind y sgol
Brython ap Rhyddorh . head boy